新潮文庫

ブランコのむこうで

星新一著

新潮社版

2469

ブランコのむこうで

カット　初山　滋

1　ある日のこと

その日は朝おきた時から、なにかが起りそうな感じがしていた。どんなふうな感じかと聞かれても、ぼく困ってしまうんだな。でも、こんな時にはっきり説明できないのは、だれだって同じじゃないかしらん。

きのうと同じようにいいお天気だったし、天気予報も大雨や雷や台風のことはいっていなかった。それに、ぼくの頭のなかにあるなにか起りそうな感じは、お天気に関するものじゃなかったんだ。自分自身についてのこと……。

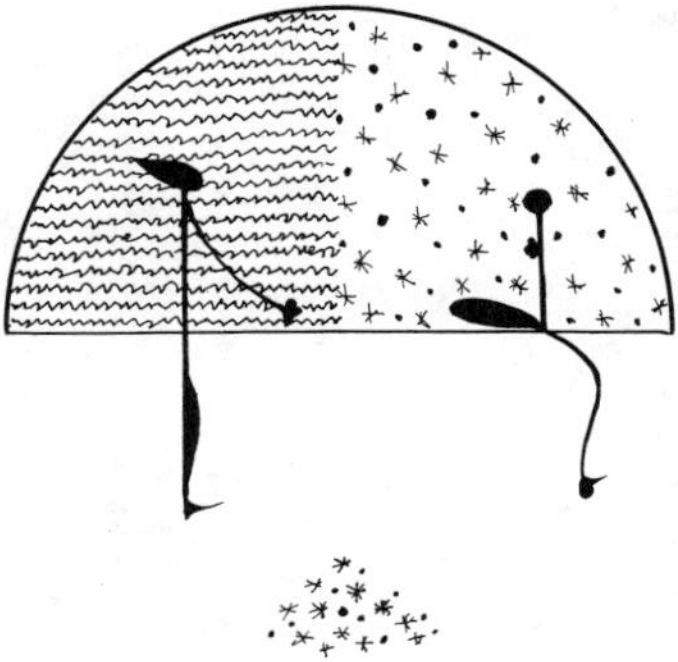

どういうことなんだろう。ふしぎだなあ、変だなあ。考えたってわかりっこはないんだけど、つい考えてしまう。朝ごはんのテーブルにむかいながらも、ぼくは首をか

しげていた。いつのまにか自分でも気がつかないうちに、トーストにバターをぬり、それをお皿の上におき、またとりあげてバターをぬった。パパが笑いながら言う。

「おい、どうしたんだい。トーストの両側にバターをぬったりして。新発明もいいけど、手がべとべとだよ」

パパは新聞を眺めながら食事をしているくせに、こういうことはすぐにみつけてしまう。ぼくの手はバターだらけになっていた。

「あ、しまった。うっかりしてたんです。ぼんやりしてたんで……」

ぼくは頭をかこうとしたが、そんなことをしたら頭がバターだらけになってしまう。だから、そのままトーストを食べた。ママが言った。

「からだのぐあいでも悪いのかい」

「なんともないよ」と、ぼく。

「変な夢でも見たのかい」

「どうだったかなあ……」

ぼくは思い出そうとした。変な夢だったら、朝ごはんのころまではいつもおぼえている。そのあとは、日光で雪がとけるみたいに消え、忘れてしまうけど。

だけど、いくら考えても思い出せなかった。からっぽだった。あき箱、だれも乗ってない列車、新しいノート、そんなふうだった。なんにも夢を見なかったようだ。そういえば、はっきりはいえないけど、ここのところ、ちっとも夢を見なくなってしまったようだ。そんなことが、このふしぎな気分のもとなのだろうか。ぼくには、よくわからなかった。

「夢は見なかったよ」

ぼくが答えると、パパが言った。

「よく顔を洗ったら気分がさっぱりするよ。おっと、その前に手を洗うんだね」

「はい」

ぼくはそうした。手と顔はさっぱりしたが、気分はおんなじだった。まあ、いいや。学校へ行って友だちと話したり遊んだりすれば、変な気分なんか消えちゃうだろう。学校を休もうかななんて言ったら、大さわぎになっちゃう。からだがだるくもなく熱もなく、痛いとこもないんだ。パパやママがあわてると思うんだ。もしかしたら、むずかしい名前の病気かもしれない、早く病院へ行ってみてもらったらいい、なんてね。そうでなかったら、学校をなまけたいんでそんなこと言うんでしょうと、怒られちゃうかもしれない。どっちかといえば、怒られるほうになりそうだな。

「いってまいります」

ぼくは出かけた。

学校でもぼんやりしていた。いつもとちがって先生のお話が耳にはいらず、名前を呼ばれて答えなかったので、注意されたりもした。

でも、なにかが起りそうだとの感じは、消えるどころか、だんだん強くなってくるのだった。ぼくがぼんやりしてたといっても、いねむりをしてたんじゃない。このことが気になって、そればかり考えてたからさ。お昼やすみには、ボールがぶつかってきたりしちゃった。

「ごめんよ。痛かったかい。だけど、きみがぼんやりしてたからだよ」

ボールを投げた友だちは言った。ぼくはなんか言おうとしたけど、やめてしまった。よく説明できないことなんだし、くわしく話したら笑われちゃう。笑われるのはいやだものな。なにかが起るって感じは、ボールにぶつかるってことだったのだろうか。ちょっとそうも考えてみたが、ちがっていた。その感じは、そのあとも消えずにつづいていたのだから。

まあ、学校でのそんなことはどうでもいいんだ。問題はその日の帰り道にはじまったのだった。

学校の門を出て、ぼくはひとりで家にむかった。もし、なにかが必ず起るのだったら、ひとりでいるのと、ふたりでいるのと、どっちがいい。いいことだったら、ひとりのほうがいいだろうな。いやなことだったら、だれかといっしょのほうがいい。助けてくれるかもしれないものね。でも、はずかしい目にあうのだったら、ひとりのほうがいいかもしれない。友だちの見ている前ではじをかくなんて、いやだものね。

そんなことを考えながら、学校のそばの商店街を歩いていた。花屋、本屋、食料品店、薬局……。

うしろで自動車の警笛の音がし、ぼく、びっくりしちゃった。うしろからの物音が、ちっとも耳にはいらなかったのだ。いつもだったらそんなことはないのに、この時だけは……。

ぼくはその時、前のほうばかりに気をとられていた。そんなぼくを見て、自動車を運転している人が、注意して歩かないと危ないぞと警笛をならしたのかもしれないね。なぜ前のほうに気をとられていたかというと、ほんとのところ自分でもよくわからなかった。なぜだかわからないけど、なにかが前のほうにあるような気がしてならなかったんだ。それはなんなのだろう。

ぼくは顔をあげ、前を見つめた。そして、それをみつけたのだ。なんだと思う。わからないだろうな。ぼくさ。ぼくが歩いているのをみつけたんだよ。

くわしくいえば、ぼくに似た少年だったというわけ。ぼくのアルバムに、ぼくのうしろ姿のうつっている写真はそんなにないけど、三枚ばかりはってある。それを見てるような感じさ。あ、もっといいたとえを思いついた。いつだったか親類のおじさんが、ぼくを小型のやつで映画にとってくれたことがあった。「映画なんだから、じっとしてないでもっと動け」なんて言われて、てれくさい気分で歩きまわったものだった。それをあとで映写して見せてもらった時、ぼくの歩きかたってああなのかなあと、変な気分だった。その時のような気分。

三十メートルぐらい前を歩いているその少年、服も帽子もぼくと似ていたし、からだつきや背の高さもそっくりだった。少年はちょっと横をむく。横顔もぼくと似ているようだ。あんなやつを見るの、はじめてだ。ぼくも驚いたなあ。あいつ、どこに住んでいるんだろう。このへんに住んでいるのなら、いままでに会っていていいはずなんだが……。

ぼくはひとりっこだけど、もし兄か弟があったとしたら、あんな少年なのだろうな。兄弟がほしいなあ、もしあったら……。

なんて考えはじめたけど、それはすぐやめてしまった。前を歩いている少年をよく見ているうちに、かりに兄弟があったとしても、ああそっくりにはならないんじゃないかと思えてきたからだ。まるで、ふたごの兄弟みたい。

　男のふたごってあるんだろうか、なんて、ばかみたいな疑問がふっと頭に浮かんで消えた。いないはずはないよね。でも、テレビに出て歌ったりしているのは、みんな女のふたごばかりだ。ふたごっていうのは、どっちがだれなのか、まわりの人はほくろで見わけているみたいだな。だけど、ふたごにはどうして、つごうよくほくろがあるんだろう。まちがえないようにって、神さまがつけてくれるのだろうか。ほくろがなかったら、どうやってみわけるんだろうな。

　だれかに聞いた話だけど、ふたごっていうのは、どっちかが病気をすると、もうひとりも同じ病気になるんだってね。どっちかがけがをすると、もうひとりも、けがをしてないのにそこが痛むなんてこともあるんだってね。ふしぎだなあ。もしかしたら、毎晩ふたりとも同じ夢を見ているのかもしれないな。

　いろんなことがいっぱい、ぼくの頭に浮かんできた。きりがないので、ぼくは自分にいいきかせた。ぼくにはふたごの兄弟なんか、ないんだってね。むかしの物語には、ふたごがべつべつに育てられる話があったみたいだけど、いまの世の中には、そんなことの起るわけがない。

　ぼくは自分のほっぺたを、ぎゅっとつねってみた。とても痛かった。といって、夢をさまそうと思ってやったわけじゃない。このとおり、ちゃんと目はさめているもの。また、キツネにだまされているのかと思って、自分に注意を与えるためにやったわけでもない。キツネがこんな街のなかで人をばかすなんてこと、ありえないもの。あればきっと面白いだろうと思うけどね……。

さっき頭に浮かんだことを、ちょっとやってみただけのことさ。ふたごだったら、むこうも痛がるかなと思ったのだ。しかし、前を歩きつづけている少年は、べつに痛がりもしなかった。こんなふたごの判別法なんて、あるわけがない。

しかし、ほっぺたの痛みは、ふたごの兄弟なんかぼくにはないんだという事実を、頭のなかではっきりさせた。あの少年は、他人の空似《そらに》っていうやつなんだ。なぜぼくが空似なんて言葉を知っているかというと、なにかの文章に出ていたんで、その時に辞書をひいて知ったんだよ。血のつながりのない他人なのに、なんとなく似ているっていう意味。空っていう字には、みせかけだけのっていう意味があるんだ。なぜだかは知らないけど……。

そういえば『乞食《こじき》王子』という物語があったっけ。王子さまと、それにそっくりの乞食の少年がいて、入れかわって生活をしてみる話だった。そんなことを実際にやってみたら、きっとおもしろいだろうなあ。ぼくとあの少年とが相談しあって、毎日の生活をとりかえっこしたら、どうなるだろう。あいつの家はどんなだろう。やってみたら楽しいだろうな。

ぼくはべつに、いまの自分の家の生活がいやじゃないんだけど、ちょっと退屈でもあるんだ。だれでもそう思ってるんじゃないだろうか。帽子のとりかえっこをするみたいに、簡単に生活のとりかえができ、しばらくのあいだよその家庭の一員になれたら、いいだろうなって。

あの、ぼくにそっくりの少年の家庭は、どんなだろう。やさしいねえさんがいるんだろうか。そうだったら、うらやましいな。あいつのパパは、どんな職業なんだろうか。芸術家だろうか。ぼくのパパはふつうの会社づとめ。だから芸術家の家庭なんかに、ぼくは興味があるんだ。画家や音楽家の家の子って、どんな毎日をおくっているのだろう。目には見えないがすてきなものが、まわりにただよってるような感じじゃないのかな。それとも、テレビドラマなんかを見て想像しているのとちがい、いらいらした父親がどなってばかりいて、ちっとも楽しくない生活なんだろうか。

といったことを考えながら、ぼくは歩きつづけ、その少年のあとをつけた。だって、なんとなく気になってならないんだもの。どこの学校へかよっているのか、前へまわって帽子の記章を見てみたかった。だけど、失礼なやつだと思われるだろうと、ぼくはためらった。ぼくだって、うしろからきたやつに追い越され、ふりむかれ、帽子を眺めてあいさつもなしに行かれたら、あんまりいい気持ちじゃないものね。

それに、あいつの記章をのぞくということは、同時に顔を見ることにもなる。顔のすみずみまでぼくとそっくりだったらと思うと、なんだかこわい。そんなわけで、別れることもできず、追いつく勇気もなく、あとを歩きつづけていったのさ。

そのうち、その少年は商店街の道から横にまがった。ぼくもあとについてゆく。まがる時に、ぼくの胸はどきどきした。まがったとたん、わっと驚かされるんじゃないかと心配だったんだ。あるいは、まがったとたん、道には人かげがなく、その少年はどこかへ消えちゃってた、なんてのもこわいしね。それでも、ぼくはまがった。どうなったと思う。

もったいをつけちゃったけど、べつにどうってこともなかったのさ。やはり、すこしむこうを少年は歩いていた。あいつはどこへ行くんだろう。このへんに住んでいるのだろうか。もうすこし先には、小さな公園というか、遊園地というか、そんな場所がある。ぼくも小さかったころは、よくそこで遊んだものだった。その公園のむこうにでも住んでいるのだろうか。

少年は公園に入っていった。この公園には木がうえてあり、池や噴水があり、鉄棒なんかもある。草花はあまりない。小さないたずらっ子が花をむしっちゃうからだろうな。きょうも、四歳か五歳ぐらいの男の子や女の子が七人ほど、声をあげてかけまわったり、砂あそびをしたりしていた。

ベンチにはとしとった男の人がふたり腰をかけ、なにか話しながらハトにパンのくずらしいのをまいていた。ハトは集って食べていたが、とつぜん、いっせいに飛び立つ。犬をつれた女の人が散歩にやってきたからだ。だけど、こんなことはどうでもいいことさ。

公園にはブランコもある。あの少年はそこへ行って乗った。腰をかけてゆらせはじめた。子供っぽいことをするやつだなあ。ぼくなんか、学校の帰りにわざわざ公園に、ブランコに乗りに寄ったりはしない。でも、ちょっと面白そうだった。少年は楽しそうに、ブランコをこいでいる。ゆれかたは大きくなってゆく。

ぼくはしばらく考えてから、やっと決心した。あいつの顔を見てやろうと。顔ぐらい見たって、怒りはしないだろう。怒りそうだったら、逃げればいいんだ。ゆれているブランコから、すぐにはおりられないだろう。いまがチャンスなのだ。

しかし、できることなら、あいつに気づかれないほうがいい。ぼくはそっと水飲み場のむこうをまわり、木のうしろをとおり、すべり台のかげにたどりついた。ここからならよく見える。ぼくは帽子の前を深くさげた。それに勇気ももう少し必要だった。あともうひとつ。なにげない動作でやることだ。

飛び立つハトを眺めるふりをして、ブランコの少年を見た。ちょっと見るだけにするつもりだったんだけど、そうはいかなかった。ぼくの目は、少年の顔からはなれることができなくなっちゃった。だって、そいつの顔は、ぼくとまったく同じだったんだ……。

「こんなことって、あるだろうか……」

ぼくは言った。本当に声に出して言ったのか、心のなかで思っただけなのか、べつな文句を口にしたのか、そのへんになるとあやふやさ。あんまりびっくりしたんで、なにがなんだかわからなくなっていた。

あれはおばけなんだろうか、とも思った。おばけなんてものが存在しないことは知っている。しかし、なにかの本で読んだことがあった。自分とそっくりの人間にであうことって、ごく時たまだけど、本当に起るらしいんだ。もうひとりの自分にであうという体験、それはドッペルゲンガーという現象だとか書いてあった。ぼくはそれを読んだ時、なんだかこわかった。トイレに入ろうと思って戸をあけたら、なかに自分が入っていたなんて話も書いてあった。これは作り話かもしれないけど、それを読んだ夜は、トイレに行くのがこわかった。きみがわるい話だ。

なぜそんな現象が起るのかについては、本にも書いてなかった。説明のつけようもないことなんだろうな。おばけみたいなものだ。だったら、ある種のおばけはこの世に存在するってことになってしまう。いまぼくが見ているそれが、そのたぐいの現象なのかどうかはわかんないけど……。

そんなさまざまな考えが、ぼくの頭のなかでいっぺんにわきあがり、ごちゃごちゃ動き、消えていった。そのあと、頭のなかには恐怖がめばえてきた。氷のようなつめたい水を、頭のなかにそそぎこまれたようだ。そのつめたい水は頭の皮をちぢませ、あふれ出て背中をつたって流れ落ち、両足までつめたくしてしまったようだった。そのうえ、足の裏を地面にこおりつけてしまった。

つまり、ぼくの足が動かなくなったんだ。早くここから逃げたほうがいいとは思うんだけど、足がいうことをきいてくれない。

ぼくはすべり台によりかかったまま、ずっとその少年の顔を見つめつづけた。ほかにどうしていいのかわからないし、ぼくの目はしぜんにそっちへいってしまうんだ。ゆうら、ゆうらとゆれるブランコの上の少年の顔。ほんとにぼくとおんなじだなあ。ゆうら、ゆうら。あいつ、鏡のむこうから出てきた、もうひとりのぼくみたいだ。ゆうら、ゆうら。むこうからこっちへ、こっちからむこうへ。ゆうら、ゆうら。

くりかえし、くりかえし、ゆうら、ゆうら……。

そのうち、少年がぼくのほうへちょっと笑いかけた。ぼくを見つけたのかどうかはわからないが、そんな気がした。思わず悲鳴をあげるというところなんだろうが、その時のぼくの気持ちは、なぜかその反対だった。さっきの恐怖もうすれていった。こちこちにかたくなっていた、ぼくのからだが、なんだか軽くなるような気分。催眠術にかけられたみたい。といっても、それがどんなものなのかは、ぼくもよく知らないんだけど……。

ブランコのゆれかたは小さくなった。やがて止まり、その少年はおりた。そして、歩きだす。どこへ行くんだろう。ぼくはまた、そっとあとをつけた。ぼくとしては、あとをつけているつもりだったけど、目に見えない糸で引っぱられているような気もしたな。ぼくは見うしなわないよう注意していたつもりだったけど、本当はむこうがぼくの目を吸いつけていたのかもしれなかったな。

その少年の背中を見つめながら、ぼくは歩きつづけていった。細い道を抜けたり、広い通りを歩いたり、歩道橋の上を越えたり、地下道をくぐったり、スーパーマーケットのなかをひとまわりし、そとへ出て、また道を横切ったりする。いまどのへんを歩いているのか、だんだんわからなくなってくる。立ちどまってあたりを見まわせばいいんだろうけど、目をはなしたら、そのとたんに見うしなってしまいそうな気がしてそれができなかったんだ。

ぼくは一生けんめいにあとを追った。その少年の歩きかたは、早くなったり、おそくなったりする。時どき、人ごみのあいだをすり抜けたりする。だから、すこしも目をはなせなかったんだ。

それでも、自分がどこにいるのかまるでわからないのもいやなので、まわりを時どきちらちらと見てはいた。しかし、それが変なのさ。道ばたにあったコーラの赤い看板、それの色がうすくなっているような感じ。花屋の花も、みんな色がうすれているようだ。理髪店の看板も、やはり色がうすくなっている。

ふしぎだなあ。目をこすって、見なおし、よくたしかめようとも思ったんだが、そのたびに少年の足は、さっと早くなる。そのため、それをやるひまがなかったんだ。

いまは何時ごろなんだろうか。空も青さがうすれている。赤さがわかれば、夕焼け雲の染まりぐあいで見当がつくのだが、それもわからない。あんまり一つのもの、つまり前を行く少年の背中を見つめつづけたんで、目が疲れてこんなふうになったのだろうか。あたりの色は、さらになくなってゆくようだった。色つきでない映画やテレビを見ているようになった。

いつまでもこんなことをしていては、いけないんだ。目を休めなくては。それに、足だってくたびれてきた。家へ帰るのが大変だぞ。こんな変な追っかけっこは、もう終わりにしなくちゃあ。遊びだかなんだかわかんないけど、いいかげんでやめよう。そうも考えたんだが、あの少年と別れる気にもなれない。どうしようかなあ。ぼくはひとつ思いついた。追いついて声をかけてみるのさ。それでおしまいにする。でも、なんて言ったものだろうか。「さよなら」と言いたいところだが、ちょっと変だろうな。はじめてのあいさつで、さよならはおかしい。「ぼくに似てるね」とでも言うのがいいんだろうか。うまい言葉が、なかなか思い浮かばなかった。

しかし、これではきりがない。追いついて肩をたたいてみよう。ぼくは決心した。いざとなれば、うまい言葉が浮かんでくるだろう。浮かんでこなくても、むこうがなんとか言うだろう。こんどこそ本当に決心し、ぼくは急ぎ足になった。

しかし、少年の足も早くなった。なんだかぼくの決心に気づいたみたい。よし、こっちだってあきらめないぞ。ここで見うしなったらつまらない。ぼくは少年の背中だけを見つめて追いかけた。かけ足になっていた。

どんどん追いかけていると、少年はどこかの家の玄関のドアをあけ、なかへ入り、ドアをしめた。どこのだれの家なのか、ぼくはわからなかった。少年以外はなにも目に入っていなかったからだ。ぼくもつづいてそのドアを引っぱってあけ、なかへ入った。

やっとなぞの少年をつかまえたと思うだろうな。だけど、そうじゃなかったんだ。ドアの内側がどうなっているかわからないから、ぼくはそこで足をとめた。なにかにけつまずいたりしては、いけないものね。それより、ひとの家にかけこんだりしては、いくらなんでも失礼だ。

そんなわけで、ぼくにすきができた。ぼくは気がゆるんだすきをねらわれ、やられちゃったんだ。少年に投げとばされた。投げとばされたといっても、痛くはない。ふわりところばされたという感じ。少年はぼくをころばしておいて、いま入ったドアから、ふたたび出ていった。すばやい動作だった。少年はそとへ出て、ドアをしめた。

ぼくも急いでおきあがり、つづいてそとに出ようとした。でも、それができなかった。なぜって、いま目の前でしまったそのドアが、どうしてもあかなかったんだ。押しても引っぱっても、にぎりをがちゃがちゃ回しても、どんどんたたいても、どうしてもだめ。からだごとぶつかってみたけど、やっぱりだめなんだ。とうとう、ぼくは大声で叫んでしまった。

「だれか助けて……」

心から叫んだ。どこのだれの家かもわからないところへ、閉じこめられた形なのだ。どうしたらいいのかわからず、ほんとに心細かった。すると、ドアのそとで声がした。

「さわいでもだめだよ」

あの少年の声だ。声を聞くのははじめてなんだが、あいつの声だとはすぐにわかった。なぜって、ぼくと同じ声だったからさ。録音した自分の声を聞いているみたい。異様な感じだけど、いまはそれどころじゃない。ぼくはたのんだ。

「ここから出してくれよ」

「そのうちにね……」

そっけない返事。ぼくは聞いた。

「ここはだれの家なんだい。きみの家じゃなかったのかい。なぜこんなことをしたんだい」

「そのうちにわかるよ……」

ぼくの質問に、ひとつも答えてくれなかった。それでも、ぼくはこれだけはぜひとも知りたかった。

「きみはだれなんだい。それを教えておくれよ。いったい、だれなんだい」

「そのうちにわかるよ……」

ドアのそとからは、おんなじような返事がくりかえされるばかり。面白がってるような、楽しげな口調。その声は少しずつ小さくなってゆく。そとの少年が、ドアから遠ざかってゆくようだった。呼びとめなくちゃあだめだ。ぼくはありったけの声を出した。

「ねえ、ひどいじゃないか。ちっともわけを教えてくれない。こんなことってないよ」

しかし、答えてはくれなかった。ぼくは大声でくりかえし、耳をすませた。やはり答えはない。ドアに耳を押しつけてみる。そとにいるけはいもなかった。あいつは行ってしまったんだ。

ぼくは力が抜けたような気分になり、ドアに両手と顔をつけ、うずくまった。困ったなあ。だれの家かわからないところへ、閉じこめられてしまったんだ。心細くなり、泣きたくなった。

ドアにすがりつくような姿勢でしゃがみ、ぼくはしばらく目をつぶって、じっとしていた。疲れていた。さっきからのことをずっと考えなおしてみるうちに、なにか恐ろしいワナにかけられたように思え、からだがふるえた。

しかし、恐怖はそう長つづきするものじゃない。やがて、いくらか落ち着いてきた。まず、ここから出なくちゃいけないんだ。ぼくのすることは、このドアのそとへ出て、家へ帰る以外にないんだとわかってきた。

また、そうびくびくしなくてもいいんだと、自分に言いきかせた。ぼくはひどい目にあわされるようなことを、いままでしていない。ぼくをいじめて得をする人なんて、いないはずだ。あの少年も、ふざけてこんなことをしたんだろう。きっとそうだよ。ここはあいつの家で、あいつは物かげから、ぼくのあわてようを見物してるんじゃないかな。

だけど、同時にぼくは、ある変なことにも気がついていた。さっきあんなに大声をあげてドアをたたいたりしたのに、家のなかからだれも出てこなかったことだ。ずっと静かなんだ。だれもいない家なのだろうか……。

またいやな想像がわいてきた。ここは倉庫のようなところで、このドアがあけられない限り、絶対に出られないところだったら、どうしよう。

しかし、あれこれ考えていてもしようがない。ぼくは立ちあがって、そのへんを見まわそうとした。そとへ出るためには、家のなかを調べるのが第一の仕事だ。なんとかそとへ出る方法はみつかるさ。さあ、元気を出そう。ぼくはドアに背中をむけ、ふりむいた。

「あっ」

ぼくは思わず叫んでしまった。

2　おじいさん

「あっ」と叫ぶ以外にどうしようもない光景だったんだよ。

　ぼくはこう考えていた。いまぼくがいるのは、どこかの家の玄関。そこは靴《くつ》をぬぐ場所。横には靴をしまう戸棚《とだな》かなんかがある。靴べらもおいてあるだろう。スリッパをしまう、しゃれたいれものがあるかもしれない。壁には小さな絵が飾られているかもしれない。靴をぬいであがると、そこは廊下。廊下から部屋に入ることができ、そこには椅子《いす》やテーブルがあるだろう。お人形やテレビなんかがおいてあるかもしれない。部屋の一方には、縁側か窓があるはずだ。そこからそとへ出られるだろう。内側からあかない窓なんて、ありえないものね。

　こんなふうに予想していたんだけど、まるでちがっていた。いま並べあげたものなんか、なにひとつなかったんだ。廊下もなかったし、部屋もなかった。だいいち、床

も柱も天井もなかった……。

すぐには、自分の目や頭が信じられなかった。こんなのを眺めたら、だれだってそうなるだろうな。そこには……。

野原がひろがっていたんだ。

ね、野原なんだよ。それがあったんだ。緑の草がきれいにはえていて、ずっとつづいている。むこうには小さな森があった。そのさらにむこうには、山がつらなっている。空は青く、白い雲が浮いている。鳥が飛んでいた。なんという鳥だか、ぼくにはわからない。街に住んでいると、そういうことはよくわからないんだ。いなかの光景がひろがっていたのだ。あたりはあざやかな色。さっき少年を追いかけている時、色のみわけがつかなくなったような気もしたが、いまは色がよくわかる。

野原っていっちゃったけど、よく見たら畑だった。だが、なんの畑かとなると、ぼくはそれもわからなかった。すこし風が吹いていて、気持ちよかった。いくらかあつかったけど、すがすがしい。初夏みたいだった。ぼくは腕を組んで言った。

「だけど、なんでこんなところへ来てしまったんだろう。ここはどこなんだろう。なぜ、どうして……」

ドアからとびこんだところが、こんなところとは。ここは都会のなかのはず。そこにこんな広い畑があるなんて。こんなことって、あるだろうか。「こんな、こんな」という言葉をくりかえしながら、ぼくはドアに寄りかかろうとした。あまりのことに気が遠くなりそうだったし、なにかたしかなものに、すがりたかったのだ。

だけど、背中にはなにも感じなかった。ドアがそこにあるはずなのに。おかしいなと思い、急に不安におそわれたが、その時はもうおそかった。ぼくはうしろにひっくりかえり、しりもちをついてしまった。よく、いじわるな人が、腰かけようとしている人の椅子をそっとどけてしまうという、いたずらをすることがある。それにひっかかったような感じさ。

おしりをなでながら、ぼくは立ちあがり、よく眺めなおした。ぼくが入ってきたドア、どうしてもあけられなかったドア、そこにあるはずのドア。それがなくなっちゃっていた。ドアばかりでなく、ドアのまわりの壁も、なにもかもなくなっていた。

ドアが消えれば、そこには道路や家々が見えていいはずだった。しかし、そうではなかった。そっちのほうにも同じように畑がつづいていた。ぴょんと飛びあがったら、畑のずっとむこうに海がちょっと見えた。空気のなかには、海のかおりがかすかにした。耳をすませると、波の音らしいのが聞こえてきた。

「変なところへ来ちゃったなあ」

口に出して言ったってしようがないとわかってはいるが、ぼくは言った。さっきまで歩きまわっていた街は、どこへいってしまったんだろう。ぼくの家のある街は……。ひろびろとした静かなところに、ひとりぼっち。さびしくなってきた。こんな心細いことってない。だれかいないかなあ。だれかがいれば、話すことができる。ここがどこかもわかるはずだ。

また飛びあがって見まわすと、森のはずれに、わらぶき屋根の家が見えた。あそこまで行ってみよう。だれかに会えるだろう。

学用品を入れてずっと持って歩いたカバン、それと帽子とがなくなっていた。ドアのそとにおいてきたのかな。それとも、あの少年がぼくを投げてころばし、そとへ出る時に持っていってしまったのだろうか。よく思い出せなかったし、どっちにしろ、ないものはしようがない。ぼくは上着もぬぎ、そこにおいた。暑かったし、財布とハンケチがあれば、あとはいらないだろう。

それから、ぼくは歩きはじめた。畑と畑のあいだに細い道があった。アリだの小さな昆虫だのがはいまわっている。街のコンクリートの道とちがって、しっとりとやわらかく、感じがよかった。

ぼくは道をたどって、森のほうへ歩いていった。どこにも人かげはない。畑仕事をしている人が見あたらなかった。どうして、だれもいないんだろうなあ。歩いてゆくと、細い川があった。小さな橋がかかっていた。橋といっても、古びた太い材木を横たえただけの簡単なものだ。

ぼくはその橋をそっと渡った。小川の水があんまりきれいなので、ぼくは橋のなかごろで立ちどまり、見おろした。底まではっきり見え、お魚が泳いでいた。なんという魚なのかはわからないが、すいすいと何匹も泳いでいる。それが珍しく、ぼくはしばらく眺めていた。

川の水面には、空の雲がうつっている。上流のほうから白い花びらが流れてきて、水の渦でくるくる回り、また流れ去っていった。白いチョウが舞いながら、それを追いかけていった。白い花びらを仲間と思ったのだろうか、水にうつる自分の姿と思ったのだろうか。ぼくの口もとには、ちょっと笑いがひろがった。笑っている場合なんかじゃないんだけど。

ぼくは橋を渡り、また畑のなかの道を歩いていった。虫が鳴いている。それにしても、いったい、ここはどこなんだろうなあ。まだ人の姿は見えなかった。

しかし、そのうちあたりに人のいないわけがわかってきた。森のほうに近づくにつれ、森のなかから笛や太鼓の音が聞こえてきたのだ。きょうはお祭りなんだ。だから、みんな畑仕事を休んで、お祭りに集っているのだろう。

お祭りの音楽って、妙な気持ちにさせられるものだな。どこか悲しいところもある。うきうきさせられるんだけど、胸の奥がじいんとしてもくるんだ。笑いすぎた時に出てくる涙みたいだよ。おかしくておかしくて出てきた涙なのに、ほっぺたがそれでぬれると、ふっとひとりぼっちのような気分になり、そっとなめてみると塩からかったりして……。

そんなことは、どうでもいいや。とにかく、森のなかにはだれかいるんだ。早くだれかに会おう。ぼくはどんどん歩いていった。おはやしの音は大きくなり、人びとの話し声もする。鎮守さまの森なんだな。赤く細長い旗がゆれていた。

森の入口に来て、ぼくは驚いちゃった。そこの石に、おじいさんが腰かけていたからだ。おじいさんといっても、としとった男の人という意味のじゃないんだよ。それだったら、なにも驚くことはないもの。ぼくのパパのパパ。その意味のおじいさんだったんだ。着物をきて、杖《つえ》を抱くようなかっこうで石にかけていた。

おじいさんのほうでもぼくを見つけ、手まねきをして、やさしく笑いかけてきた。

「おや、坊や、よくきたね」

「こんにちは」

ぼくはかけよって飛びついた。なつかしい、おじいさんのにおいがした。おじいさんはぼくを、いつもかわいがってくれた。ぼくがいなかに行くたびに、いつも……。

しかし、おかしいなあ。どこかが……。

そこでぼくは、はっとしたんだ。おじいさんは三年前に死んでしまったはずなのだ。そのお葬式には、パパやママにつれられて、ぼくもいなかに行ったっけ。その時のことを思い出した。大ぜいの人が集って、なかにはお酒を飲む人もいたりして、にぎやかでもあったけど、やっぱり悲しかったなあ。もう二度と、おじいさんとお話ができないんだもの。お葬式のすんだ夜、そとで星をみあげたら、とてもきれいだった。そのことは、いまでもちゃんとおぼえている。おじいさんは死んでしまったのだ。

それなのに、いま、おじいさんがここにいる。ぼくがさわっている。おじいさんはぼくの頭をなでてくれている。なぜなんだろう。どうしてだろう。ぼくはその答えをさがしはじめていた。

ぼくも死んでしまったのじゃないのだろうか。きっと、そうなんだ。ここは死者の国、ぼくはそこへ入ってしまったんだ。そういえば、さっき川を渡ってしまった。死者の国へ入る時には川を渡るのだという話があった。それを渡ったら、もう生きている国へ戻れないという川。あれを渡っちゃいけなかったんだ。渡らないでいたら、だれかに呼びもどされ、生きかえることができたかもしれない。だけど、あんまり静かで美しい小川だったんで、そうとは気がつかなかった。だまされちゃったんだ。

もう引きかえすことはできないんだろうな。いま大急ぎであの川へもどってみても、さっきあった橋はなくなり、飛び越そうにも川のはばはうんと広くなり、底は深く、流れが激しくなってしまっているんじゃないかな。小さな魚はいなくなり、こわいワニかなんかが泳いでいる。そんなふうに、だれも帰さないしかけになってるんじゃないかな。ああ、とんでもないことになっちゃったなあ。

おじいさんもいるし、ここは悪くないところみたいだけど、ぼくはまだ死にたくないんだ。だって、生きていてやってみたいことが、まだいっぱい残っている。パパやママとも別れたくないし、学校の友だちとだって、まだいっしょにいたい。

ぼくは勉強をあまり好きじゃない。だれだってそうだろうな。そして、この死者の国に来たからには、ぼくはもう勉強をしなくていいんだろうな。そう考えてみても、あまりうれしくなかった。勉強がなつかしく思えてきた。苦しんだあげくなにかを理解できた時の気分って、悪くないものだ。もやもやした霧がはれて遠くが見え、すがすがしいような感じ。自分の足で、汗を流して登山するからこそ、頂上でばんざいを叫びたくなる。

そんな楽しさが、もう味わえなくなる。ここにはいやなこともないかわり、いやなことのあとのうれしさもないんだ。いきいきとした生活が、できなくなる……。お祭りのおはやしの音がひびいてくる。悲しさがこみあげてきて、ぼくは泣き出してしまった。生きていた時のすべてのものと別れさせられてしまったんだ。くちびるをかんで泣くまいとしても、声がそれをつきやぶって出てくるのだ。

おじいさんがぼくの肩を、やさしくたたきながら言った。

「泣かなくてもいいんだよ」

「だって、ぼくは死んじゃったんだ。もう、おしまいなんだ、なにもかも。夏に海や山へ行くこともできない。大きくなったら、外国にも行ってみたかったんだ。パパやママにも、もう会えない……」

泣きつづけるぼくに、おじいさんはこう言った。

「そんなことはないよ。おまえは死んではいないんだよ。だから、なにも悲しんだりすることはない」

「でも、ここにおじいさんがいるじゃないの。死んでいるはずのおじいさんが、ここにちゃんといる。だったら、死の国でしょ。ほかに考えようがない」

「ここは死後の世界じゃないよ。おまえは考えちがいをしているんだ。あいかわらず、そそっかしい子だね」

「それなら、ここはどこなの。死後の世界じゃなくて、どこでおじいさんに会えるの。ねえ、教えてよ。ここはどこなの……」

ぼくはそう言いながら、おじいさんの口をみつめた。どんな言葉が出てくるんだろうと待ったのだ。おじいさんは、にこにこしながら言った。

「夢の国さ」

それを聞いて、ぼくは目をぱちぱちさせた。それから、また叫んでしまった。

「そんなおとぎ話みたいなこと、信じられないよ。ばかばかしいよ。ぼくはもう、小さな子供じゃないんです。夢の国だなんて、うそでしょ。ね、死んじゃったぼくをこわがらせないため、うそをついてごまかしているんでしょ。そうにきまっているんだ。やっぱり、ぼくは死んでいるんだ」

「そんなことはないよ」

おじいさんは、困ったような顔で、また同じことをくりかえした。ぼくのほうも、同じことをくりかえして言った。

「だって、信じられないよ、ここが夢の国だなんて。信じられないよ」

「困ったねえ。じゃあ、おじいさんのほうから質問するよ。おまえはここが死の国だって言ってるけど、死の国だってことが、どうして信じられるんだね」

「それは……」

急には答えられなかった。そう聞きかえされると、ぼくのほうが困ってしまった。二つのうち、いいほうを信じてしまうと、あとでそうじゃなかった場合にがっかりする。悪いほうの場合を考えていれば、がっかりすることもない。そんなことが、ぼくの気持ちの奥にあったんだろうな。死の国に来てしまったとしておけば、それ以上に悪いことにはなりっこないものね。

おじいさんはぼくの手を引っぱり、そばの石にすわらせた。ぼくはおじいさんと並んで腰をおろす。おじいさんは言った。

「どういうものなら信じられ、どういうものは信じられないんだね」

「自分の目で見たものなら、信じられるよ」

「そうだろうね。でも、夢を見たことはあるんだろう」

「そりゃあ、あるよ。しかし、だから夢の国があるなんて思えないなあ。目がさめたら、あとかたもなく消えちゃうんだもの。あ、そうだ。見ただけじゃなく、さわれるものでなくちゃだめなんだ。さわれれば信じられる。さわることができなくては、あるとはいえないでしょ」

「夢のなかで、なにかにさわったことはないかい。食べたことはないかい」

「そういえば、あるなあ……」

ぼくはつぶやいた。何年ぐらい前だったか忘れたけど、あれは夏の日だった。おひるねをしていて、つめたいジュースを飲んだ夢を見たことがあった。深い深い井戸からくみあげたようなつめたさだった。なぜだかしらないが、その夢はいまでもおぼえている。ぼくがうなずくのを見て、おじいさんは言った。

「おまえはテレビを見るだろう。あの画面にうつることはどうなんだい。見ることはできるけど、さわれない。それでも、みな、テレビにうつる外国の景色などの存在を信じている。テレビのスイッチを切ったからといって、その外国の街が消えてなくなるわけじゃないことを信じている」

聞いているうちに、うまくごまかされてしまいそうな気もしたし、そういう理屈もありうるという感じにもなった。

「テレビってのはね、テレビ局から電波で送られてくるんですよ。だから、テレビを見ている家にはそのものがなくても、テレビ局に行けば、それがある。フィルム番組だったら、それを撮影した場所に行けば、ちゃんとそのものがあるんです」

ぼくは常識的な、つまらない説明をいちおうした。話しているぼくはちっとも面白くなかったが、おじいさんは楽しそうな顔で聞き終わり、それから言った。

「それと同じことなんだよ。ここは夢の放送局のスタジオみたいなものなんだよ。テレビのスイッチを切って画面に像がうつらなくなっても、テレビの放送局はちゃんと存在しつづけている。夢だってそうさ。目ざめて夢が終わってしまっても、夢の放送局のほうはちゃんと存在しつづける。つまり、ここのことだ」

「そういうものなのかなあ……」

「テレビの画面を通じて見るより、撮影している場所へ行ってじかに見るほうが、なにもかもはっきりわかる。夢もそうだよ。夢として見るより、そのもとの場所であるここに来てのほうが、はっきりとわかる。こまかなところまで、よく感じとれるだろう。風の音を聞くこともできるし、かすかな花のにおいをかぐこともできる。いま腰かけている、この石。ちゃんと存在しているだろう。それとも、まぼろしみたいかい」

おじいさんに言われ、ぼくはにぎりこぶしで石をたたいてみた。痛かった。

「ああ、痛い。ぼくが存在していることはたしかなんだし、痛かったのもたしかなんだし、この世界が存在していることはみとめたほうがいいようですね。これ以上うたがいはじめたら、きりがなくなっちゃう。だけど、いったいここはどこなの。存在してるのなら、その場所がなくちゃならないでしょ」

「その説明はむずかしいな。みんなが暮しているところの、前でも、うしろでも、横でも、上でも下でもない。そういうところなんだよ」

「つまり、ちがう次元の世界なんだね」

と、ぼくは言った。次元という言葉、ほんとの意味はぼくもよく知らないんだ。しかし、読み物のなかによく出てきたり、友だちとの話のなかで使ったりするんで、次元というとなんとなくわかったような気分になってしまうんだ。そういえば、言葉っていうもの、みんなそんなような気もしてくるな。社会とか、神とか、愛とか、幸福とか、わからないながらも使っているうちに、だんだんとわかってくるみたいだものね。

　おじいさんは言った。

「まあ、そういったものだね。マンモスはいるのか、いないのか。いまの世界にはいないが、むかしという次元の世界には存在してるんだ。しかし、この夢の世界は、過去でも未来でもないのだよ。どこにもないが、どこにもある。これぐらいで説明はかんべんしておくれ。おじいさんは、しゃべるのにくたびれてしまったよ。理屈をこねるよりも、自分で見たほうが……」

「ぼくもそう言おうかなって思ったとこですよ。すわりこんでおしゃべりをしていてもしようがないや」

この世界だって、言葉と同じこと。わからないながらも、まずなかで動いてみることだ。そのうち、そうなのかどうか自分でたしかめることができるだろう。判定をつけるのは、そのあとでいいんだ。

はてしない議論にならないですんだと知り、おじいさんはにこにこ顔になって言った。

「さあ、お祭りを見にいこうか」

「うん」

ぼくはうなずく。おじいさんに手を引かれ、森のなかにいった。鳥居があり、拝殿があり、そのそばの神楽堂《かぐらどう》では、オカメやヒョットコのお面をつけた人が踊っていた。それを見物している人たちの顔は、みなおだやかだった。笛や太鼓の音は、休むことなくつづいている。

小さな縁日の店が並んでいる。アメ細工の店や、風車《かざぐるま》の店、絵本の店などがあった。お面や笛を売っている店もあった。そこで買い、お面をかぶり、笛をならして踊りのまねをしている子供たちもあった。森の木の葉のにおいが気持ちよかった。そんななかにいて、ぼくは時間のたつのを忘れていた。

そのうちあることを思い出し、おじいさんの手を引っぱって聞いた。

「ねえ、さっきの話、夢の放送局のスタジオって、ここだけじゃないんでしょ。テレビの放送局なら数は少なくてもいいけど、夢の放送局の数が少なかったら、みんなが同じ夢を見ることになってしまう。ほかにもたくさんあるんでしょ」

「ああ、そうだよ。たくさん、たくさんあるのさ。つまり、ひとりにひとつずつというわけだよ。すばらしいことだろう」

ぼくは驚いた。それなら、すごい数だなあ。よくそれだけの場所がと思いかけたが、ここはちがう次元なのだから、それでもいいのだと気がついた。ぼくは聞く。

「それで、これはだれの夢の国なの」

「おまえのパパのさ。つまりね、おまえのパパは、子供のころの楽しかった日のことをよく夢に見るのさ。だからこんな景色の世界になっているのだし、わたしがここにいるというわけだよ。ここではいつも天気がよく、いい人ばかりで、いつもお祭りなのだよ。時にはけんかもあるが、おもしろ半分にやるだけのことさ」

「つごうがいいんですねえ」

「しかしね、おまえのパパは、会社に毎日つとめに出かける。そこでは、いやなことだってあるよ。いっぱいあるだろう。だが、うちへ帰ってぶちまけることもできない。そんな時、眠ってからここへやってくるのさ。ここが必要なんだよ。ここなら思いきり楽しめるし、なぐさめもある。もしここがなかったら、どうなるか考えてごらん。おまえはパパにどなられどおし、なぐられどおしだろうなあ……」

「そういわれると、そうだな。夢の世界がなくなったら、世の中の人、いらいらして、みんなけんかをはじめちゃうかもしれませんね。いらいらした気分のはけ口がなく、心がゴム風船のようにふくれあがって、ばん、と破裂してしまうかもしれませんね」

「それにもうひとつ、ここには美があるんだよ。あこがれと呼んだほうがいいかな。目がさめてから、人は現実とくらべてみる。そして、まわりの川の水や空気がよごれているのに気づき、これじゃいけないと思うわけだよ。人が夢の世界を持っていなかったら、現実に対してなんの批判もしなくなり、ただただ現実に押し流され、ずるずるとだめになってゆくだろうね。時にはこの夢の国が、一時的にものすごくひどい状態になることもあるが、その場合は目がさめてから、ああなってはいけないんだなと知るわけだよ。いずれにせよ、現実の世界は、それぞれの人の夢の世界で支えられているともいえるんだよ」

おじいさんの話を聞きながら、ぼくはあたりを眺めた。夕日が遠い山の峰に近づいていた。その手前のなだらかな丘では、何頭かの馬が草を食べていた。そのうち、ぼくは気がついた。ここは前に遊びにきたことのある、いなかなのだと。ぼくは指さし、見おぼえのある地形であることをたしかめ、それから言った。

「ねえ、おじいさん。あのへんには広い自動車道路があるはずでしょ。それに、あのへんにはガソリンスタンドがなくちゃならない。家がもっと並んでいるはずなんだけどなあ。どうしてそうなってないの」

「おまえのパパの夢の国はこうなのさ。これでいいんだよ。むかしの景色なんだよ。楽しかった少年時代のままなんだ。夢のなかでまで自動車に走り回られちゃ、いやだろう。といっても、むかしの世界そのままともちがう。むかしはむかしで、いやなこともあった。貧しい人や、病気の子もたくさんいた。しかし、そういういやなことは、この夢の国にはないんだ。いやなことがいっぱいつまっていたのでは、夢の国の意味がないだろう」

「そうだね。それから、あとひとつだけ知りたいことがあるんですよ。ふしぎでならないのは、どうしてぼくがここへ来ちゃったんだろうということ。ぼく、きょう学校の帰りに、ぼくそっくりの少年をみつけてね……」

ぼくはおじいさんに話した。おじいさんはなんでも知っているみたいだ。もしかしたら、その説明をしてくれるかもしれないものね。なぜこうなってしまったんだろう。夢の国へはいりこめたなんて。

ぼくの話を聞き、おじいさんは考えこみながら、こんなふうに言った。

「ふしぎなことだね。うん、もしかしたら、こうかもしれないよ。おまえがみつけた、そのそっくりの少年っていうのは、夢の国のなかのおまえなのさ。おまえの夢の国、そのスタジオでいつもおまえの役をやっている少年だよ。それが現実のほうの世界を見たくなったのか、いたずらのつもりか、次元を越えてそっちへ逃げ出しちゃったのじゃないのかな」

そうかもしれないなと、ぼくは思った。あの少年を追いかけながら、あいつと生活のとりかえっこができたら面白いだろうと、ぼくも考えた。むこうだって、そんなふうに考えるかもしれないな。ぼくは言った。

「そういえば、きのうの夜はなんにも夢を見なかったし、その前の夜も見なかったようですよ。夢のなかのぼくがいなくなったせいだったんですね」

「そんなところだろうと思うよ。現実の世界に出てきた夢の世界のほうのおまえが、現実のほうのおまえを自分のかわりに、夢の世界のほうにだまして閉じこめちゃったんだろうな。そっくり同じのが二人、そのへんをうろうろしてたら、さわがれるばかりだものね」

「そうですね」

ぼくはうなずいた。もうひとりの自分にであうという現象、時たまそういうことが起るのは、そのせいとも考えられるなと思った。おじいさんは言った。

「だまして夢の世界に閉じこめるやりかたがまずかったのか、こういうものなのか、おまえはパパの夢のなかに押しこまれてしまったんだろう。前例がないので、わたしにはよくわからないけどね」

「あの少年、つまり、もうひとりのぼくのことだけど、あいつを追っかけている時、街の色がうすれていったみたいだった。あれはなぜだったんでしょう」

「まわりを見てごらん。森の木の葉は緑、鳥居は赤い。夢の国にはこのように色があるが、普通だとめざめてゆく時に、その色のことを忘れてゆく。だから、夢での色のことを多くの人は思い出せない。現実の世界と夢の世界のあいだには、色の消える地帯があるのかもしれないね。おまえはここへ来る途中、そこを通りぬけた。だから、そんな感じがしたのじゃないかな」

「ふーん」

と、ぼくは言った。そうじゃないのかもしれないが、ぼくはその説明で満足しておくことにした。これ以上はわかりっこないんだ。おじいさんは言う。

「そんなことより、まあ、せっかく来たんだから、ここでゆっくり遊んでいきなさい」

「うん、ぼくもそうしたいよ」

「だいぶ夕方になってきた。そのうち、チョウチンに灯がともるよ。森のそとではホタルが飛びはじめるよ。すいすいと光が息づきながら流れる。花火もあがるよ」

「きれいだろうなあ……」

ぼくはおじいさんのそばをはなれ、そのへんを少し歩いた。ゆかたを着て髪にリボンをつけた女の子が、話しかけてきた。

「お友だちはいないの……」

「うん、ぼく、ひとりぼっちさ。あそこにいるのが、おじいさんだけどね。ぼくはここ、はじめてなんだ」

「じゃあ、鬼ごっこでもしましょうよ。あなたが、まず鬼よ。あたしをつかまえてごらんなさい……」

女の子は笑いながらかけていった。ここでは、だれもすぐ友だちになれるみたいだ。そんなふうになっているんだろうな。

ぼくは追いかけた。足はぼくのほうが早いんだけど、女の子は、人のうしろにかくれたり、神殿のうらのほうへ回ったりする。ぼくにははじめてのところだし、その女の子はここにくわしい。なかなかつかまえられない。でも、こんなこと、街で育ったぼくにははじめてなので、面白かった。

ひと息ついて、おじいさんのほうを見ると、手をあげてぼくを呼んでいた。そばへ行って聞く。

「なあに、おじいさん」

「おまえのパパが、もうすぐここへ来るよ。くわしくいえばだね、現実の世界でおまえのパパが眠りについた。そこで、夢の国のおまえのパパが、ここに加わる。つまり、おまえのパパがここで遊ぶ夢を見はじめるってわけさ。きょうはどんなことをすることにしようかな。そうだ。おまえのパパをしかってやろう。ひっぱたいてやるとするかな」

おじいさんは笑いながら言った。

「そんなことしていいの」

「ああ、いいどころか、パパは喜ぶよ。なつかしいんだね、そういうことが。おまえだっていまに大きくなり、むかしのことを思い出すようになると、父親に怒られたことがなつかしくなるよ、きっと……」

そういうものかなあ。ぼくはもじもじしはじめてしまった。どうしたらいいのか、わからなくなっちゃったのだ。こんなところでパパに会うのも変だものね。パパがおじいさんに怒られてるのを、そばで見物しているなんて、あんまりいい気持ちじゃないしね。パパだって、そんなのをぼくに見られてはいやだろうな。昼間の疲れを休めることにならないよ。

ぼくはどこかへかくれようと思った。どこかないかな。そのへんをかけまわると、森の木のなかでもとくに太い木のひとつの幹に、穴があいていた。なかがうつろになっている。ちょうどいい、ここへかくれよう。ぼくが片足から入りこもうとすると、さっき鬼ごっこをした女の子が追いかけてきて言った。

「だめよ、だめよ。そんなとこへ入っちゃあ」

「ぼく、かくれなくちゃならないんだ」

「かくれんぼはやめましょうよ。暗くなってからかくれんぼすると、神さまにさらわれちゃうんですってよ」

女の子に引っぱられた手を、ぼくは振りきって言った。

「だけど、そんなことといってられないんだ。いまは、かくれなくちゃならないんだ。

また、あとで遊んでおくれ」

「しらないわよ、あたし、どうなっても。その木の穴、入るとばちが当るって、だれも入らないようにしてるとこなんだから……」

しかし、ぼくはかまわずに入った。そんなのにかまっている場合じゃないんだもの。穴のなかは大きかった。ぼくはそこに入り、からだを丸めて小さくなり、目をつぶった。耳は押えなかったが、女の子の声や笛の音などが、なぜかしだいに聞こえなくなった。

しばらくたった。そとのようすを見ようと、ぼくはそっと目をあけた……。

3 お城の王子

目をあけた。ぼくは木の幹の穴のなかにいるはずだった。しかし、そうではなかった。ぜんぜんちがってたんだ。そこは木の幹の穴じゃなくなっていたし、女の子も、森も、お祭りも、みんなどこかへ消えてなくなってしまっていた。

あたりは明るかった。ぼくは芝生の上にすわっていた。手入れのゆきとどいた広い芝生。緑色をした静かな水面のようだ。芝生のむこうには、お城があった。お城っていっても、ヨーロッパの絵にあるようなお城なんだよ。石をつみ重ねてたてたもの。ところどころに窓がある。見張り台というのかな、円筒形の塔がそびえ、その上にはライオンのマークの描かれた旗がひるがえっていた。お城はがっしりした感じだったけど、小さくてかわいらしかった。ほんとに外国の絵にあるような……。

しかし、お城をゆっくり眺めているひまは、ぼくになかった。なぜなら、お城のほ

うから、変なやつがこっちへやってきたんだ。

ぼくよりちょっと年下らしい少年。ぴったりした細いズボンをはき、長めの靴《くつ》をはき、剣をつっていた。表はねずみ色で裏は赤というマントをはおっている。早くいえば、西洋のむかしのお話にでてくる王子さまのスタイルさ。ぼくだったら、てれくさくって、とてもあんなかっこうなんかできやしない。着たとたんに、自分でもおかしくなって笑いだしちゃうだろうな。

しかし、その少年には似合っていた。ごく自然、着なれているせいなんだろうな。お芝居をやるために着てるなんて感じは、ぜんぜんしなかった。そんな少年にであったのも驚きだったが、そのあとからくっついてくるお供のほうが、もっとびっくりだった。ぼくは目を丸くし、しばらくは口もきけなかった。

お供は三ついた。そのひとつはフクロウなんだ。鳥のフクロウだよ。それがねえ、ギターをひいているんだ。小さなギター、それをかかえて、フクロウのやつ翼のはじで器用にひいている。ゆっくりしたきれいなメロディーをかなでていた。フクロウの目は、昼間はよく見えない。そのせいだろう、フクロウの歩きかたはおぼつかなかった。よちよち歩きながら、音楽をやってるのだ。

少年のお供は、まだいた。もうひとつは、まっ白なウサギ。ただのウサギじゃないんだよ。洋服を着ているんだ。青い服と青いズボン、ネクタイも青かった。しかも、立って歩いているんだ。ちっともじっとしていない。ぴょんぴょんとびあがり、三回に一回ぐらいは宙がえりをする。こんなの、はじめてだった。だれだってこんなのを見たら、そう思うだろう。ふつうのウサギには、できっこないものね。『ふしぎの国のアリス』という童話には服を着たウサギがでてきたが、こうまで宙がえりが好きじゃなかったな。

そして、もう一匹。それはオオカミなんだ。つやのある黒っぽい毛皮のオオカミ。だけど、そうとわかるまでしばらく見つめつづけちゃったな。これは服を着ていなかったけど、すごくふとっているんだ。おとぎ話にもでてこないんじゃないかな。どういうわけか知らないけど、物語にでてくるオオカミって、どれもみんなやせていて、たえずおなかをすかせて舌なめずりをしている。それと反対なんだ。ふとっていて、おなかがはってるみたいで、動作がのろのろしている。首のところには金色の首輪をしていた。それだけでもおかしいのに、オオカミは少年の前へ出てきて、ぼくにむかってあいさつをした。

「こんにちは」

めんどくさそうな、低い声。それでも、どこかにオオカミの感じの残っている声だった。べつに、こわくはなかった。だって、おなかのはったオオカミなら、人を食べようとはしないだろうからね。ぼくは叫んでしまった。

「なんだい、こりゃあ。まるで夢を見ているようだ」

すると、少年が言った。

「当り前じゃないか。ここは夢の国なんだもの」

そういえばそうだなと、ぼくはうなずいた。そして、さっきまではパパの夢の国にいたんだけど、木の穴を抜けて、いまは別な人の夢に移ってしまったのだろうなと思った。

その少年の声は、しっかりしていた。ちょっと高慢そうなところもあった。しかし、お城の王子さまなら、そういう性質であってもしかたないだろう。ぼくは頭をかき、頭を下げてあいさつをした。

「とつぜん入りこんでしまって、ごめんなさい」

「いいんだよ。でも、きみを見るのは、はじめてだねえ。ここをたずねてくれる人はないはずなんだけど。どこから来たの」

「いなかからです。お祭りを見物してから来たんです」

ぼくは正直に答えた。しかし、これだけでは、なんのことやらわからないだろうな。

王子さまは首をかしげたが、落ち着いていた。

「そうかい。お祭りなんて、このへんにはないはずだがな。まあ、いいや。ゆっくりしていっておくれ。ずっと前から、だれかたずねてこないかなと祈っていたんだ。だれか来た時のために、名前まで用意して待ってたんだ。メルって名だよ。ここにいるあいだ、きみのことをそう呼ぶことにするよ」

「なぜ名前なんかを用意しておいたんですか」

「わかんないかなあ、メルくん。いつお客さんが来て、お城にとまるかもしれない。そのための部屋があるんだ。そして、それには名前がいるんだよ。メルくんの部屋としておけば、それですぐ通じるわけだろう。便利じゃないか」

「そういうものかもしれませんね」

ぼくはそれ以上は聞かなかった。あんまり聞くと、ばかにされそうだった。ここにはここのやりかたがあるんだろう。よそから来たぼくが、それに従うべきなんだ。王子さまはいった。

「ぼくはピロ王子っていうんだ。だけど、呼ぶ時はピロくんでいいよ」

「じゃあ、そうしますよ、ピロくん。でも、ここはどこなんですか」

「どこって、きまってるじゃないか。ピロ王国だよ」

そうだった。夢の国には場所なんかどうでもよかったんだ。ぼくはさっきから聞きたくてうずうずしていたことを言った。

「ふしぎなお供ばかりですね」

「うん、ほかの人がだれも持ってないのにしようと思ってね。ギターをひくフクロウなんて珍しいだろう。とびはね宙がえりウサギもね。それから、このオオカミ、最初は護衛の仕事をやらせてたんだけど、料理の才能の持ち主であることがわかったんだ。おいしい料理を作ってくれるよ。その才能があるんだから、つまみ食いぐらいは大目に見てやらなくちゃね。部下を使うには、その長所を発揮させるようにし、あまりかたいことはいわないほうがいいんだよ……」

　ピロは王子さまだけあって、言うことはしっかりしているみたいだった。

「オオカミがふとってるのは、つまみ食いのせいだったんですか」

「そうなんだよ。さあ、いっしょに遊ぼう。前から考えてたことがあるんだ。いや、お客さんにそれを押しつけちゃ失礼だったな。ここでなにか遊んでみたいことがあったら、言っておくれ」

「遊ぶことよりも、ぼく、まず見物をしたいな。こんなところへ来たの、はじめてなんです」

「じゃあ、ひとまわりしよう」

と言ってピロ王子が先に進み、ぼくもいっしょに歩きはじめた。そのあとをお供がついてくる。でぶのオオカミはのそのそと、ウサギははねながら、フクロウはギターをひきながら。

広い芝生のそばには、池があった。大きな池で、睡蓮《すいれん》の葉が浮かび、白鳥が六羽、静かに泳いでいた。遠い森のほうから小さな川が流れてきて、この池にそそぎこんでいる。池からはまた水が流れ出て、お城のまわりの堀となり、ふたたび小川となって反対側の遠い森のなかにむかっている。

ピロ王子が言った。

「きみ、上着がないんだね。ウサギになにか持ってこさせよう」

「失礼にならないのだったら、簡単なセーターかなんかのほうがいいなあ」

とぼくは言った。変な礼服みたいなものを着せられちゃあ、かたくるしくてかなわないものね。ピロ王子はうなずき、ウサギはとびはねながら城へ行き、セーターを持ってきた。こげ茶色ので、小さくライオンのししゅうがしてあった。ぼくはそれを着た。着ごこちはよかった。

お城の石の壁を右にし、それにそって回ると、そこには石造りの建物が並んでいた。

ピロ王子は指さして言う。

「これは倉庫、道具だの食べ物だの、動物のえさなんかがしまってあるんだ。その動物たちっていうのは、もう少しさきにいる」

ちょっとした動物園があった。ライオンが何匹もいる。十四以上はいるようだ。ぼくたちをみて、うなり声をあげた。どれも強そうなオスのライオン。

大きなゾウもいた。形は普通のゾウだが、ピンク色をしているんだ。変な感じだよ。お酒を飲みすぎてアル中になると、ピンクのゾウのまぼろしを見るとか、なにかの本に書いてあった。ピンクのゾウを眺めていたら、からだがふらふらしてきたような気分になった。アル中って、こんな感じなのだろうか。

「このゾウ、お酒を飲むんでしょ」

変な気分になったついでに聞いたら、ピロ王子は答えた。

「そうなんだよ。面白がって飲ませているうちに、こんな色になっちゃった。いま飲ませてみようか」

王子はゾウのさくのなかへ入っていって、水道の蛇口《じゃぐち》みたいなものをひねった。大きなバケツぐらいあるガラスのコップのなかに、どんどん出てくる。お酒のにおいがした。ゾウは鼻を入れ、たちまちのうちに飲んでしまった。ピンク色はさらにあざやかになり、楽しそうだ。鼻を上にあげ、音をだした。ラッパの音で、マーチのメロディーがひびきわたった。こんなのはサーカスに行ったって見られやしない。ぼくは感心した。

「面白いゾウですね。よっぱらってあばれたら大変でしょうが、鼻でラッパの音を出してるだけなら、たのしくていい」

「ああ、お酒を飲んでれば、ごきげんなんだよ。ぼくもえさをやる手間がはぶけて助かるんだ。時どき蛇口をひねって、お酒を出すだけでいいんだから簡単だよ」

お酒飲みのゾウは、飼い主にとっても、つごうがいいものらしかった。ゾウの近くに、まわりがくもりガラスでできた建物があった。半透明の温室といった感じ。なかになにがいるのか、赤っぽい色がすけて見えた。ぼくは聞いた。

「ピロくん、あのなかにいるのはなんなの」

「いやなものに目をつけられちゃったなあ。お客さんの希望となると見せないわけにはいかないしね。しかたない。ちょっとのぞかせてあげよう」

ピロ王子は困ったような顔つきをしたが、扉をあけてくれた。のぞきこむと、なかにはラクダぐらいの大きさの、赤いものがうずくまっている。見たこともないような動物だった。

「わかんないなあ。なんなの、これ……」

「金魚さ。大きいだろう。ぼくはこいつが好きなんだ。だけど、お城の景色とはそぐわないんで、ここにかくしてあるんだ。ただの大きい金魚じゃないんだよ。このように水のそとにも出られるし、それどころか、空も飛べるんだよ。すごいだろう」

「飛ぶって、この金魚が……」

「そうとも。いっしょに乗ってみないかい。心配はいらないよ。さあ……」

ピロ王子にすすめられたが、ぼくはしりごみしてしまった。大きな金魚に乗って空を飛ぶなんて、考えたこともないものね。だが、王子はしきりにすすめるんだ。金魚の背中にまず自分がまたがり、そのうしろにまたがれとぼくの手を引っぱった。

「乗ってみようかな」

ぼくはそれに従った。こんな機会でなかったら、やれないことだ。ピロ王子は金魚の首のあたりをたたいて命令した。

「お城の塔の上まで行っておくれ。はじめてのお客さんも乗ってるんだから、ていねいに飛ぶんだぞ。それから、オオカミとウサギとフクロウ、おまえたちはあとから歩いておいで」

そして、金魚が飛びはじめたんだ。飛ぶといっても、鳥のようにはばたいてではない。風船のような金魚っていうのか、金魚のような風船というのか、ゆっくりと浮かびあがった。口の先で扉を押しあけ、ひれを動かし空気のなかを泳ぎはじめた。ピンクのゾウの上を三回ほどまわる。

なんといったらいいのか、とにかくふしぎな乗りごこちなんだ。落ち着いていて、ゆらゆらとしていて、静かで、気品があるっていうのかな。ちょっとふりかえって見ると、大きくみごとなしっぽが風のなかでゆれている。いい気分だった。

しかし、下を見るのはこわかった。おっこったらと思うと、おなかのへんがむずむずする。ぼくは目をつぶって、前にいるピロ王子にしがみついてしまった。そのうち、金魚はゆれなくなり、王子がぼくの肩をたたいた。

「さあ、ついたよ」

そこは塔の上だった。金魚はまた浮かびあがり、そのへんをただよってから、もとの建物へと帰っていった。うんと豪華なコイノボリが、そよ風と遊んでいるといった感じだった。ぼくがそれにみとれていると、ピロ王子が言った。

「この塔の上からだと、みんな見わたせるよ。このお城の南側が芝生のある広場さ。西側が白鳥のいる池。北側が倉庫、東側が動物たちのいるところ」

ほんとにきれいな国だった。どっちの方角にも、遠くに森がある。ここは森にとりかこまれているのだ。西のほうの森から川が流れてきて、池に入り、水はお城の堀をたどり、ふたたび小川となって東のほうの森へと流れている。ぼくは聞いた。

「森のむこうにはなにがあるの」

「行ったってだめだよ。行く必要のないところなのさ」

「ふーん」

どういうところなのか、その説明だけではよくわからなかった。そのうち、階段をあがってきたオオカミたちがあらわれた。フクロウは音楽をかなでつづけ、ウサギはとびはねつづけている。それらの頭をなでながら、ピロ王子はぼくに言った。

「きみになにを見せようかなあ。そうだ、ぼくが考え出した遊びをやってみせてあげるよ。ライオンをつかまえる遊びさ。いろんなやり方があるんだ。あの芝生の広場でやるんだよ」

「大丈夫なの、そんなこと……」

「そこが面白いのさ。さあ、すぐはじめるよ。下へ行こう」

ピロ王子は塔のなかの、らせん状の階段にぼくを案内した。石段の足音が、上や下に反響する。塔のなかはひんやりして、古いにおいがしていた。階段をおりきると出口があり、そとはすぐ芝生の広場だった。

ピロ王子は、見ただけじゃよくわからない道具をいろいろとそろえてから、でぶのオオカミに言った。

「さあ、ライオンを一匹ずつ出してくれ。おい、フクロウ、いい音楽をやっておくれ」

フクロウは明るく勇ましい音楽を、ギターでかなではじめた。闘牛のシーンを思わせるメロディー。王子の動作も、またそうだった。王子はマントをぬぎ、裏の赤いほうを前にむけてひらひらさせた。オオカミがライオンのおりの扉をあけた。一匹がとび出してくる。ちょっと足をとめ、のびをするように背中を丸め、大声でほえ、王子めがけて走りだしたんだ。

ぼくは広場のはじ、お城のそばに立ってびくびくしていた。ライオンがこっちへむかってきたら、すぐかくれられるようにと、お城のそばにいたんだ。でも、王子は大丈夫なのかなあ。たちまちはねとばされ、すぐに食べられちゃうんじゃないだろうか。ライオンはすごい勢いだった。ぼくは目をつぶりかけたが、どうなるのかも見たい。片目をそっとあけて、こわごわ見ていたんだ。

ライオンは赤いマントめがけて大きくジャンプし、とびかかった。その時、王子はマントをさっとどけ、身をかわした。マントのかげでぼくには見えなかったが、そこには大きなネズミとりがかくされていたんだよ。パチンと音がし、バネが働いてライオンはそこにはさまれてしまった。王子は近よって、ライオンの前足に手錠をかけた。それから、王子はぼくにむかって手を振る。

「メルくん、どうだい」

「すごいなあ……」

ぼくは手をたたいた。あんまりみごとなので、手をたたかずにはいられない。こんなことをやってのけるなんて、すごい勇気だ。ピロ王子は手錠をかけたライオンの前足に、ローラースケートをはかせて言った。

「さあ、むこうへ行って、ハムを食べさせてもらいなさい」

ライオンはそうした。大きな車輪のローラースケートを前足につけ、芝生を進む姿は愉快だった。むこうで待っていたでぶのオオカミは、それを迎えてべつなおりに入れ、手錠とローラースケートをはずし、大きなハムをやった。ライオンはおいしそうに食べはじめた。

「さあ、つぎだよ」

ピロ王子は言い、オオカミはつぎのライオンを出した。王子は、こんどはべつなものを使った。遊園地にあるような、鏡とガラスでできた迷路なんだよ。通り道かと思って進むとガラスだったり、ガラスかと思うと鏡だったり、自分の姿や他人の姿が、あちこちにうつって見えるあれなのだ。その簡単なやつを王子は大急ぎで組み立て、待ちかまえていたというわけさ。

王子はそのなかを走りまわり、ライオンはあとを追いかける。だが、ガラスや鏡にぶつかったりして、うまく追いつけないんだね。とうとうライオンは困ってしまって、くたびれて、すわりこんでしまった。そこに王子があらわれ、前足に手錠とローラースケートをつける。こんども成功。ぼくはまた手をたたいた。王子はにっこり笑い、鏡の迷路を片づける。

つぎはもっとすごかった。でぶオオカミが二匹のライオンをいっぺんにおりから出したんだ。どうなるんだろう。こんどこそ、だめなんじゃないだろうか。

ぼくがはらはらしながら見物していると、広場にウサギがとびだしてきた。ぴょんぴょんはねまわり、ライオンの一匹はそれを追いかける。もう一匹は王子めがけて走ってゆく。王子は身をかわし、ライオンをやりすごし、それを何回かくりかえした。そのうち、王子はウサギに合図をした。王子とウサギはいっしょになり、同時に身をひるがえした。そのため、勢いよく追ってきたライオンどうし頭をぶっつけあい、倒れてしまった。そこでまた、さっと手錠とローラースケートというわけ。

ぼくは手をたたきつづけた。王子はこっちへやってきて、汗をふきながら言った。

「まだほかにも、いろいろなつかまえかたがあるんだよ。さっきの空飛ぶ金魚にまたがって、上から投げなわを使ってつかまえるとか、地面のくぼみにかくれていて、上を通りすぎるライオンの足にすばやく手錠をかけるとかね。メルくん、きみもひとつやってみないかい」

「いやだよ、こわいもの」

「勇気がないんだなあ」

と王子は言い、ぼくはすこしいやな気持ちになった。さっきは王子のことを、すごい勇気の持ち主と思ったが、こっちをいくじなしと言われると、その感想を訂正したくなる。こんなむちゃくちゃなことは、勇気とはちがうんじゃないかなあ。

「おなかがすいた。なにか食べよう」

とピロ王子が言い、ぼくをお城のなかの食堂へと案内した。広い部屋。天井も高い。暖炉があり、壁には剣や弓などが飾ってあった。テーブルも椅子《いす》も、彫刻のある立派な木製のもので、がっしりしていた。

コックのオオカミが作ったお菓子を、ウサギが運んできた。ありとあらゆるくだものを使ったお菓子なので、おいしかった。それを食べながら、ピロ王子が言った。

「こんどは、きみといっしょにできる遊びをやろう。だれか来たらやろうと思って、こんなのを考えておいたんだ。さっきのピンクのゾウ。きみがそれをどこかにかくす、あとからぼくがさがし出す。ある時間内にさがせるかどうかって遊びだよ」

「ちょっと面白そうだな。だけど、かくすところをのぞかれたんじゃ、しようがない。そのあいだ、ピロくんはどうしてるんだい」

「ぼくはそのあいだ眠ってるよ。そろそろ眠らなければならないころだ」

ピロ王子は立ちあがり、自分の部屋のベッドに入った。大きくて豪華なベッド。そして眠りについた。ぐっすりと眠り、ちっとやそっとでは起きそうにない。ぼくはそれをしばらく眺め、つぶやいた。

「ははあ、そういうことか」

ぼくがなんに気づいたのかというと、ピロ王子が現実の世界で、いま目をさます時刻になったのだろうということさ。

「じゃあ、はじめるかな」

ぼくがお城を出てゾウのいるほうに行くと、オオカミたちがついてきた。王子さまになったような気分で、悪くなかった。

ピンクのゾウにむかって「出ておいで」と呼びかけると、自分でさくをあけて、おとなしく出てきた。自分であけて出たり入ったりできるんなら、さくの意味がないみたい。

「さて、どこへかくそうかな……」

考えてみると、むずかしいんだ。ピロ王子は自分の城だから、すみずみまでよく知っているにちがいない。すぐさがし出されてしまうだろう。この遊びは、ぼくのほうがだいぶ損だ。ゾウは大きいし、見まわしてもこれといった場所はないようだ。

ずっと遠くは、どっちの方角も森なんだ。森に目をやりながら、ぼくは思った。あの森まで行ってみようかな。森のむこうはどうなっているんだろう。池に流れこんでくる小川にそって、ぼくは森のほうへ歩きはじめた。ゾウもついてくる。でぶのオオカミがぼくに言った。

「ゾウにまたがったらいかがです」

ゾウはぼくを乗せてくれた。ウサギとフクロウもいっしょに来る。そのうち、森に近づいた。どんな森なんだろう。さっきピロ王子は、森についてわけのわからないことを言っていた。魔法の森なんだろうか。なんだか、そんな感じもしてきた。

パパの夢のなかの鎮守の森では、なかに大ぜい人がいたけど、ここの森には人のけはいがまるでなかった。静かななかで、たくさんの鳥がさえずっていた。それぞれの鳴き方で、好きなようにさえずっていた。しかし、ふしぎなことがはじまったんだ。フクロウのひくギターにあわせて、鳥たちが合唱をはじめたのだ。よくそろった合唱で、美しいハーモニーだった。

「まるで夢の国だ……」

またぼくは言いかけ、頭をかいた。ここは夢の国なんだ。だから、魔法の森があったって、おかしくない。

森の奥へ進むにつれ、木々の葉で日光がさえぎられ、うす暗くなった。しかし、森の下草がいろいろな花をつけており、それが光をおびていた。赤や白や黄色に、かすかに光っているんだ。あっちへゆれ、こっちへゆれ、きれいだった。その上を、やはり輝くチョウがたくさん飛びまわっていた。クリスマスの飾りをさらに美しく神秘的にしたような感じ。ほんとに魔法の森だな……。

うっとりと見とれちゃって、ぼくは迷子になりかけるところだった。ぼくは小川づたいに森のなかへ入ってきた。その小川を見うしなったら、帰れなくなっちゃうかもしれないんだ。危険にであったら、小川ぞいに戻れば、またお城へ帰りつけるというわけ。ぼくはその注意を忘れかけ、川からはなれてしまいそうになったのだ。

もう少し小川にそってさかのぼってみようかな。ぼくはピンクのゾウを進めた。しかし、危険にはであわなかった。そのうち、前方が明るくなり、さらに進むと、森を通り抜けちゃったんだ。森のむこう側へ出ちゃったんだよ。ぼくはゾウに言った。

「あそこへ行け」

ゾウがいやがるかと思ったが、そんなこともなかった。オオカミが「おやめなさい」と言うかと思ったが、そんなこともなかった。ぼくがなにを指さして命令したのかというと、前方に見えたお城。ピロ王子のお城のように、小さいがきれいで、塔もある。あそこには、だれが住んでいるんだろう。それは気になることだし、知りたくてならないものね。

「急げ、急げ」

ぼくはゾウに言った。だけど、ピンクのゾウはゆっくり進む。フクロウはギターを鳴らしつづけ、ウサギははねつづけ、でぶのオオカミはのんびりしている。森を通り抜けちゃったというのに、みんな落ち着いていて、こわがりも珍しがりもしないんだ。なぜなのだろう。

流れてくる小川にそって、お城に近づいていった。ピロ王子のお城とよくにていた。そっくりみたいだった。

「おーい、こんにちは……」

呼びかけてみたけど、だれも答えてくれない。塔の上の旗には、やはりライオンが描かれてあった。お城の手前にはライオンが何匹もいるおりがあり、くもりガラスの建物をのぞいたら、なかに大きな金魚がうずくまっていた。ゾウのおりがあったが、なかにゾウはいかなかった。ぼくはゾウからおり、お城のなかへかけこみ、ピロ王子の寝室をのぞいた。王子はぐっすり眠っていた。

つまり、もとへ戻ってきちゃったんだ。森を抜けると、お城の反対側の森へ出ちゃうってわけなんだ。あの森は、やはり魔法の森だったのだろうか。つまり、この夢の国にはそとがないんだよ。

「森を抜けたら、もとへ戻ってきちゃった。ふしぎだなあ」

ぼくがオオカミに話しかけると、つまらなそうな答えがかえってきた。

「ちっとも変じゃないでしょ。これでいいんじゃないでしょうか。どうあるべきだとおっしゃるんですか」

ずっとここにいるオオカミは、こういうものだと思いこんでいるらしかった。ぼくは話してやった。

「ぼくの世界ではね、となりにはとなりの庭があり、ちがった家があり、ちがった人が住んでいるのさ」

「そうすると、となりのとなりの、ずっと先はどうなっているんですか」

「どんどん行けばだね、地球をひとまわりして、またもとへ戻って来ちゃうけどさ」

「それなら、ここと同じことじゃありませんか」

「そうじゃないよ。地球にはそとがあるんだ。地球のそとにはべつな星があり、そのむこうにも数かぎりない星があるんだよ」

「となりの星の、そのとなりの、ずっと先はどうなっているんですか」

いやなことを聞くオオカミだな。ぼくもよく知らないんだ。ほんとうは、ぼくのような年齢のものが年上のものに質問し、困らせるのにいちばんいい問題なんだよ、これは。ぼくがここで、こんな目にあうとはなあ。それでも、ぼくの知ってる答えを言った。

「理屈はわからないけど、宇宙をどんどん行くと、またもとへもどってきてしまうそうだよ」

「それならここと同じでしょう。広いとせまいとのちがいがあるだけで」

「そうだなあ」

やりこめられちゃった。議論はそれでおしまい。ぼくは不満だったし、オオカミのほうも不満そうだったが。

ゾウがそわそわしはじめた。お酒が飲みたいんだろうなと思い、さくのなかに連れてゆき、蛇口をひねってやった。ゾウはまたごきげんになり、鼻でラッパの音をたてた。

ぼくは白鳥のいる池のそばにしゃがみ、でぶのオオカミを相手に話をした。

「あのピロ王子、いつもここで遊ぶのかい」

「そうですよ」

「じゃあ、いつも同じ夢を見てるってわけなんだな」

「そうなんです。だけど、夢っていうものは、さめる時にほとんど忘れ、ごく一部分しかおぼえていないものらしいですね。たとえば、空飛ぶ金魚から落ちると、その時のことだけおぼえていて、ああこわかったとなる。あの白鳥だけおぼえていれば、きれいだったなあとの感じだけが残る。目ざめるたびに忘れるから、ここへ来るたびにいつも新鮮な気分になれるんですよ」

「ふーん」

ぼくは小さな子供をデパートに連れていった時のことを思い出した。小さな子って、屋上にサルのいたこととか、食堂で食べたアイスクリームぐらいしかおぼえてないんだね。夢からさめる時も、そんなものなのかもしれない。

「ライオンに飛びかかられるところだけをおぼえていれば、すごかったなあという感じだけが残る。もう少しでやられるところだった、というわけです。原因であったライオンのことなど忘れ、目ざめる時にべつな事件にしてしまうこともあるんでしょうね」

とオオカミが言った。ギャング団におそわれたが、なんとか助かったという夢に変ってしまうこともあるのだろうか。

「ライオンにやられちゃうなんてことは、ないのかい」

「そんなことはありませんよ。あるわけがないでしょう。わたしたち、王子さまの眠ってるあいだに練習したりしてるんです。いかにうまくやるかの……」

「そうだったのか。あんまり感心することもなかったわけだな。それから、ふしぎでならないことがあるんだよ。ここに、ほかに人間がいないことさ。ぼくのパパの夢の国には、たくさんの人がいたよ。それなのに、ここにはピロ王子しかいない。なぜなんだろう」

「そのわけは、わたしにもわかりません。こういうものだと思っていました」

「あのピロ王子、ここで眠っている時、つまり現実の世界で目ざめている時の生活では、なにをしているんだろう」

ぼくが質問したが、オオカミは首をかしげた。

「それも知りません。知りたいとは思いますがね。メルさん、調べてきてくれませんか」

「ぼくにそんなことができるのかい。どうやればいいんだい」

「あなたは、むこうの現実の国からいらっしゃったかたのようです。そういうかたはこの夢の国で目をつぶり、眠ると、王子さまの日常の世界がのぞけるだろうと思うのです」

「ふーん。夢のなかで夢を見ると、現実の世界がのぞけるってわけか。そういうものかもしれないね」

「お城のなかに、あなたのベッドも用意してありますよ。そこへご案内しましょう」

でぶのオオカミが言ったが、ぼくは首をふった。

「ここで眠るよ」

芝生に横になると、ひろびろとして静かで、いい気持ちだった。オオカミがあいずをし、フクロウのひくギターが、ねむけをさそうような音楽になった。目を閉じると、ほんとに眠くなってきた……。

ぼくのまぶたの裏に、なにかがうつりはじめた。ぼやけていたが、だんだんはっきりしてくる。しかし、それがなにかは、すぐにはわからなかった。

天井らしかった。しかし、せまい部屋の、あんまりきれいじゃない天井なんだよ。しかし、なぜ天井ばかりが見えてるんだろう。いまぼくが見ている光景は、現実の世界のピロ王子の目にうつっている光景らしいんだが、そんな生活ってあるんだろうか。

ふしぎがっているうちに、壁が見え、台の上に薬びんが見えてきた。すこしようすがわかってきた。現実の世界に目ざめている時のピロ王子は、病気なんだ。ベッドの上に寝ているのだった。

薬びんのそばに手紙がある。封筒から出された手紙が、ひろげられた。つまり、ピロ王子が読んでいるのだ。

〈……ずっと長いこと、病気で寝たっきりで大変ですね。そとを歩いてみたいでしょう。お友だちもほしいでしょう。いいニュースがあります。あなたの病気はなおりにくいものでしたが、それをなおす方法が発見されたそうですよ。ですから、もうすこしのがまんです……〉

そんな文章のところだけが、しばらく見えていた。現実の世界のピロ王子、ずっと病気で動けなかった生活。そとへ出られず、友だちもなかった。だから、夢の国に出てくるような人もいないんだ。気の毒な少年なんだなあ。

きっと、あばれたくてしようがないんだね。それで、夢の国では百獣の王のライオンをたくさん飼い、それをつかまえて、元気いっぱい遊ぶことになったんだろうな。

手紙は、ずっと同じところだけが見えている。いいしらせなので、そこの部分ばかりをピロ王子は読みかえしているんだね。毎日くりかえして同じところを読んでいるせいか、紙がしわになり、よごれてもいる。

いちおう事情がわかったので、ぼくは窓のそとのほうを見た。大きな桐《きり》の木が見えた。緑の葉がきれいだった。そして、その上は空。青い空に白い雲が浮いている。白クマみたいな形の雲だった。

現実の世界のピロ王子は、ずっとベッドに横になり、毎日ここから空の雲を眺め、いろいろ想像をしていたんだろうな。金魚みたいな雲が空を泳いでいるぞとか、あの雲はピンクのゾウみたいだとか。そんなことがもとになり、夢の国があいうふうに形づくられてきたのかもしれないな。

ぼくは、ここがどのへんなのか知りたかった。だが、ピロ王子が立ち上がって窓のそとをのぞいてくれないと、そとのようすはわからない。むりな期待だった。

やがて、目の前の手紙は封筒に戻され、もとのところへおかれた。ピロ王子のひとりごとを言うのが聞こえた。

「ちょっと眠ろうかな……」

それを聞いて、ぼくはあわてた。早く戻ってゾウをどこかにかくさなくちゃならない。約束なんだ。ぼくはむりに目をあけた。まぶたの裏にうつる眺めが消え、白鳥の池のそばに戻れた。またピロ王子の夢の国に帰ってきたんだ。

目をあいたぼくを見て、そばにいたでぶのオオカミが言った。

「どうでしたか、むこうの王子さまは」

「やっぱり、りっぱな王子さまだったよ」

ぼくはうそをついた。ずっと病気の、寝たきりの子供とはいえないものね。ここのオオカミたちみんなを、がっかりさせることはない。ぼくは言った。

「それより、ピンクのゾウを早くかくすんだ。ピロ王子がもうすぐ起きるぞ。どこがいいだろう。なんかないかなあ……」

そのうち、すばらしいことを思いついた。この池のなかにかくすんだ。ぼくはゾウを呼び、そういいつけた。ゾウはゆっくりと歩いて水のなかにはいってゆく。全身がかくれ、鼻の先を少し出したところでとまった。つぎに、ぼくは白鳥たちにいいつけた。あの鼻をかくすように、まわりで泳いでいてくれとね。そう、それでいいんだ。

静かできれいな池の眺めだよ。

ピロ王子がやってきた。ベッドの部屋から出てきたのだ。さっそうとしている。

「おーい、目がさめたよ。ゾウをかくしといたかい」

「ああ、かくしたよ」

ぼくはぞんざいな口調で答えた。わざとそうしたんだ。でも、現実の世界で王子さまじゃないと知ったからじゃないんだよ。やたらと同情しては、かえってそらぞらしくなるんじゃないかと思ったからさ。この夢の世界では、ピロ王子は元気なあばれん坊なんだから、同情したりしてはおかしいんだ。

「すぐにさがしちゃうから」

ピロ王子は言った。ぼくの口調のぞんざいなのが面白くない、といったような感じだった。そして、そこらじゅうをさがしはじめた。お城の地下室とか、大きな机の下とかをね。だが、そんなところをさがしたって、みつかりっこない。

王子はだんだんきげんが悪くなり、金魚にまたがって上からさがしはじめた。遠くの森のほうまでさがしにいったりもした。しかし、みつからない。上から見られたら、池のなかということがわかっちゃうかなと、ぼくは心配した。だけど、わからなかったようだ。金魚の赤っぽい色が池の水面にうつってるのかと思ったのかもしれないね。

金魚からおりたピロ王子は、腰から銀色の笛をはずし、それを吹いた。変な音、おかしくってしようがないような音が出た。たちまち、池のなかで大さわぎがはじまってしまった。ゾウがふきだして笑いはじめたのだ。水面が波だち、白鳥があわてて逃げ、ゾウは大笑いしながら出てきた。ゾウを笑わせる笛だったんだよ。

すごく面白い光景だったけど、ぼくには不満もあった。ぼくは笑うのをやめて文句を言った。

「ずるいよ、そんなのを使うなんて」

「使ったっていいじゃないか」

「よくないよ。そんなことしちゃ、さがしたことにならない。約束がちがうよ」

「そんな約束、しなかったよ。ここはぼくの国なんだ。好きにできるんだ」

とピロ王子が言い、けんかになってしまった。そりゃあ、ここは王子の国かもしれないけど、やっぱりずるいよ。好きなようにしたければ、ライオンたちでも相手にひとりでやればいいんだ。

ぼくはそこをはなれ、お城のなかに歩いていった。奥のはじのほうに戸棚《とだな》があった。あのなかにかくれてやれ。王子があやまるまで、遊んでやらないんだ。ゾウなら笛の音で出てくるかもしれないけど、ぼくはあやまりの言葉でないと出てやらないぞ。

ぼくのそんな決心に気がついたのか、王子があわてて追いかけてきた。

「戻ってこい。戻ってこないと、やっつけちゃうぞ。ライオンをけしかけて追いかけさせるぞ」

まだいばってやがる。ここは夢の国でもあるし、現実の世界では病気のピロ王子には同情してあげなくちゃいけないのかもしれないけど、ぼくにはそれができなかった。言いあいの時って、そういうものなのだ。相手の立場を考えることより、自分の腹立ちを理屈づけるほうに熱心になってしまう。王子の病気は、もうすぐよくなるんだ。それなら、きびしさももっと知らなくちゃいけない、なんてね。

それでも、ほんとはぼく、王子が「ごめん」と言えば、それですませるつもりだった。ここは遊ぶのにはいいところだものね。ぼくはもっとここにいたいんだ。王子が反省してくれないかなあ。それをうながすつもりで、戸棚のそばに王子がきた時、ぼくは扉を内側からしめた。その音で、ここにかくれているのだと教えようとも思ったんだ。王子が外側から「出てきておくれ」と言うだろうし、扉越しに話しあいがはじまるだろう。顔をあわせなければ、少し冷静な話しあいになるだろうし。

扉をしめると、戸棚のなかは暗くなってしまった。王子の声も聞こえない。その時ぼくは、はっと気がついた。パパの夢の世界で、木の幹の穴にもぐりこんだ時のことを思い出したんだ。あれに似た感じ。べつな人の夢の世界に移っちゃうんだなと、ぼくは思った。ピロ王子とこんな別れかたをするのはいやだな。別れるとしても、あいさつぐらいはしたい。ぼくは扉をあけようとして、手で前を押した。扉があるはずなんだけど、なんの手ざわりもなかった……。

4　さびしい街

目をあけているのに、ぼくにはなにも見えなかった。あたりが暗かったからだ。ここは夜中なのだろうかと、ぼくは思った。なんの物音も耳に入ってこなかった。とても静かなところのようだった。

ぼくはそっと立ちあがり、そっと一歩だけ歩いてみた。足の裏にかたい感じが伝わり、靴《くつ》が音をたてた。またもう少し歩いてみて、舗装した道路みたいだなと思った。

そのうち暗さに目がなれてきたのか、まわりのようすがだんだんと見えてきた。道にそって、ぽつんぽつんと街灯が並んでいた。弱い光で、道を照らしているというより、それが街灯であることを示すだけが役目のように、かすかに光っていた。道の両側には四階建てぐらいのビルが並んでいる。一階には商店やレストランの看板がでていたが、どこも店の扉をしめていた。歩道があり、街路樹があり、まんなかは自動車の走る道となっている。しかし、車は一台も走っていなかった。ひ

とことで言えば、休日の真夜中といった感じじゃないかな。

ここはどんなところなんだろう。だれかに会えたら、まずそれを聞こう。そう考えながら歩いてみたけど、人かげはなかった。道を聞こうにも、交番もなかった。すごくさびしい感じなんだよ。両側に建物が並んでいるのに、どの窓にもあかりはついていない。いまは夜中だから、みんな眠っているんだろうなあ。どこかの商店のドアをどんどんたたいたら、だれかが起きて出てくるかもしれないけど、そんなことをしちゃあ悪い。まあ、もう少し歩いてみるとしようかな。

なにか黒いものが、道の上を音もなくこっちへやってくる。ぼくは足がすくんでしまった。ふるえながら立ちどまっていると、それは黄色くて小さくて丸いものを、二つ光らせた。ぼくはびっくりしたが、すぐにほっとした。

黒ネコだったんだよ。光る二つのものは目だった。そいつは「にゃあ」と鳴いて、ぼくのそばをすり抜けてどこかへ行ってしまった。

「ネコちゃん、こんちは」

ぼくは呼びかけてみた。ピロ王子のお城にいたオオカミは、話し相手になってくれたっけ。しかし、黒ネコは返事もせず、戻ってもこず、暗がりに消えてしまった。

街灯によりかかり、ぼくはピロ王子のお城をなつかしく思い出した。こんなところへ来ちゃうんなら、あのお城にいたほうがよかった。王子も遊び相手がいなくなり、さびしがってるんじゃないだろうか。ぼくは自分が、ピロ王子から借りたセーターを着てるのに気がついた。かえそうにも、どうしたらピロ王子の夢の国へもどれるのか、まるでわからない。ぼくは心細くてならなかった。

その時なんだよ、わけのわからない物音が聞こえてきたのは。その音は暗い夜の空気のなかを、ただようように流れてきた。なにか、すごく悲しい感じの音。ぼくはまた、びくりとしちゃった。

なんだろう、なんだろう。ぼくは耳をすませた。それはどうやら、物音ではないようだった。声なんだよ。女の人の声。四十歳ぐらいの女の人かな。なにを言っているのかは、わからない。でも、悲しそうな声で、なにかを呼んでいるみたいな感じだった。明るさとか、ほがらかさは少しもない。街路樹の葉っぱも、その声でこまかくふるえはじめるんじゃないかと思えた。

なぜあんな声をあげているんだろう。どこから聞こえてくるのだろう。ぼくにはわからなかった。だけど、その声はだんだん大きくなるようだった。つまり、こっちへ近づいてくるらしいんだ。そのうち、ビルの横あたりから声の主があらわれそうな感じだった。

それに気づいて、ぼくは歩きはじめた。いつのまにか、かけ出していた。声から遠ざかりたかったんだ。声の正体も知りたかったけれど、もの悲しい声で、とても近よる気にはなれなかった。逃げなくちゃいけない。ぼくは自分に言いきかせた。

でも、かけ出したりしないほうがよかったんだ。ぼくの足音が、静かさのなかで大きくひびいた。ここに人がいることを、はっきり示してしまう形になってしまった。

声はぼくのあとを追いかけてくる。悲しげな声、泣いているような声、それでいて、喜んで笑っているような感じでもあるんだ。うしろをふりむいてみる気になれない。

魔女かもしれないなと、いやな考えが頭をかすめた。きっとそうだ。ここは魔女の夢の国かもしれない。人を食べる魔女。夢のなかでも、見つけしだい人を食べ、住んでいる人をみんな食べつくしてしまい、新しい獲物を待ちかまえていたんだ。黒ネコがしらん顔してさがし歩き、人をみつけて報告し、魔女が出てくるんだ。笑っているような感じが声に加わったのは、迷いこんできたやつをみつけて喜んでいるためじゃないんだろうか。

ぼくはどんどん逃げた。まっすぐ進み、右側の横町にまがり、また左にまがって進むといったぐあい。魔女をまいてしまおうと思ったんだ。しかし、声は追いかけてくる。助けを求めようにも人かげはない。ぼくは息をきらしながら、かけつづけた。となりの町、そのつぎの町へでも、どんどん逃げてやるぞ。

しかし、逃げきれないことがわかってきた。ここも、あのピロ王子の国とおんなじしかけだったのさ。ひとつの方角へ走りつづけているつもりだったのだけど、さっきかけ抜けた、見おぼえのある道にまた出てきてしまうんだ。べつな夢の世界への出口があればいいと思ってさがしたが、そんなようなものもない。ゆっくり調べればどこかにあるのかもしれないが、そんなひまはないんだ。

どっちへ逃げてもだめとわかって、急に力が抜け、疲れがでた。大声で叫ぶ気力もない。叫んだところで、だれも出てきてくれないだろう。かりに出てきても、助けてはくれず、ぼくを追いかける側の人だろう。

あの泣いているような、喜んでいるような叫び声は、しだいに近づいてくる。その足音も聞きわけられるようになった。もうだめだ。ぼくはつかまってしまうだろう。逃げきることはできないんだ。

くたびれてきた。休むわけにもいかず、ぼくはかけつづけた。つかまったらと思うとこわくてたまらず、必死だった。うしろの足音は、さらに近くなってきた。むこうも必死になって走っているみたいだ。ぼくは小さな横町をみつけ、そこへまがった。だが、その道は通り抜けられず、行きどまりだった。

ぼくは道のはじっこにしゃがみこみ、手で顔をおおった。これから、どんなことが起るんだろう。追いかけてくる足音は、すぐそばまで来た。足音ばかりでなく、息をする音まで聞こえ、その息はぼくの首のうしろにかかった。ぼくは首すじを中心にして、からだがちぢんでゆくような気がした。

そのぼくのからだに、ふわっとしたものがおおいかぶさってきた。抱きしめられた。つかまってしまったんだ。こわくって、こわくって、ぼくの頭は内部まですっかりしびれてしまった。なんにも考えることができず、気が遠くなってゆくみたいだった。

このまま気を失ってしまったほうがいい。そう思ったけど、そうはならなかった。相手の正体を知りたいという気持ちが、ぼくの心の底にあったからだろうな。

女の人の声がしている。さっきからずっとしていたのだ。泣いているような、うれしがっているような声。そして、言っている言葉もわかってきた。

「マリオちゃん、やっとみつけたよ」

その言葉がくりかえされ、そのたびに、ぼくはぎゅっと抱きしめられる。なぜこんなことをされるのか、さっぱりわからなかった。顔をぼくにすりつけてくる。あたたかかった。魔女じゃないようだった。魔女だったらもっとつめたく、氷のようにぞっとする感じじゃないだろうか。なんとなく、やさしい人のような感じがしてきた。

こわさが少しうすれ、ぼくは顔を動かし、その人の顔をそっとのぞいた。顔にいくらかしわがあり、よくはわからないけど、ぼくのママよりちょっと年上、四十歳ぐらいじゃないだろうか。やさしそうな目をしていて、目からは涙が出ていた。その涙はぼくの顔にもくっつき、こっちも、なんだか泣きたくなってしまった。わけはわからなくても、悲しみってものは伝わってきちゃうんだね。女の人はまた言った。

「マリオちゃん、やっとみつけたよ。さあ、ママって呼んでおくれ」

人ちがいをしているんだな、ぼくはそう気がついた。マリオっていうの、この人の子供のことなんだろうな、どんな字を書くんだろう。万里夫だろうか、真理男だろうか。そのマリオくんというのと、ぼくはまちがえられているらしいんだ。だけど「ちがいます」とは、どうしても言えないような感じだった。だから、ぼくは小さな声で言ってみた。

「ママ」

「やっぱり、マリオちゃんだね。おまえが死ぬはずはないよ。どんなにさがしたことだろう。ずいぶんさがしたんだよ」

また、ぼくを抱きしめる手に力がはいった。

「ええ、ぼく死んだりしませんよ、ママ。このとおりです」

ぼくは言ってしまった。人ちがいだと言いそびれたので、うそを重ねることになってしまった。もっとうそを重ねなくてはならなくなりそうだな。ぼくは内心で反省したが、でも、女の人はとてもうれしそうだった。

「会えてよかったね。自動車にぶつかった時は痛かったかい」

「ちょっとだけね……」

と、ぼくは言った。女の人の言うことにさからわず、喜びそうなことを言ってあげようと思ったんだ。それに、だんだん事情もわかってきた。マリオくんという子供は、交通事故で死んでしまったらしいんだな。だけど、この女の人、マリオくんのママはあきらめきれず、夢のなかで毎晩さがし歩いていたんだね。この夢の街は、その事故のあった街なのかもしれない。そこへぼくが飛びこんできてしまったんだ。だからこの女の人は、ぼくをマリオくんだと思いこんでしまったんだね。ぼくは言った。

「どんなにママに会いたかったか……」

「もう、大丈夫だよ。ああ、ああ……」

女の人は何度も叫び、のどをつまらせ、また、たくさんの涙を流した。ぼくの目からも涙が出てきた。ぎゅっと抱きしめられると、涙が出てきちゃうんだ。女の人は言った。

「これからなにをしましょう。おなかがすいてるんだろうね。なにか食べましょう。お祝いだもの、好きなもの食べていいわよ」

「だって、こんな夜おそくじゃあ……」

「いいんだよ、おこしちゃいましょう」

マリオくんのママは、そばのレストランのドアを、どんどんたたきはじめた。こんな夜中に、あんなことしていいのかなあ。怒られちゃうんじゃないだろうか。ぼくはそれが心配で、少しはなれて立っていた。

だけど、マリオくんのママは、とうとうお店をあけさせちゃった。なかへはいってたのんでいるらしかった。そのうち、レストランのガラス窓のシャッターがひらき、あかりがついた。店のなかのテーブルには花が飾ってあり、きれいだった。暗い静かな夜の街のなかで、その一軒だけ明るく暖かく、息づいているといった光景だった。

マリオくんのママが、入口に立ってぼくのほうをむき、手まねきしている。こんどはべつのことが心配になってきた。人ちがいだったことがわかっちゃうんじゃないかってね。もじもじしていると、お店の主人がぼくを連れに来た。五十歳ぐらいの、にこにこした男の人だ。

「よかったね、ママと会えたんだってね。特別にサービスしますよ。いらっしゃい」

ぼくは引っぱりこまれちゃったのさ。マリオくんのママは地味な洋服を着て、ハイヒールでない、かかとの低い靴をはいていた。だから早く走れたんだなと、ぼくは思った。

レストランのなかのはじのほうに、小さなテーブルがあり、そこにすわった。ぼくはマリオくんのママと椅子《いす》を並べて腰をかけた。そのおかげで、顔を見あわせないですみ、しばらくは人ちがいを気づかれないでいられそうだった。マリオくんのママも、心のなかが喜びでいっぱいで、たしかめるどころじゃなかったのかもしれないね。

「マリオちゃんは、ハンバーグが好きだったねえ。野菜のサンドイッチもだね。あ、スープも飲むわね。オレンジジュースもいるでしょう。デザートもたのんでおきましょう。アイスクリームはどんなのがいいかい……」

どんどん注文しちゃうんだ。ぼくの答えも聞かずにね。もっとも、変な答えをしたらマリオくんじゃないことがばれちゃうから、ぼくは「うん、うん」と言ってたのさ。レストランの主人が、ステレオを鳴らしてくれた。あかるい音楽が、店のなかを飛びまわりはじめた。

お料理がどんどん運ばれてきてしまう。みんな食べなくちゃならないんだろうな。ぼくはニンジンがあんまり好きじゃなかった。すると言われちゃった。

「どうしたの。ニンジンは大好きでしょう」

「ええ、胸がいっぱいで……」

いい言いわけだと思っていたら「もう心配することはないのよ、遠慮しなくてもいいのよ」と、たくさん注文されちゃった。マリオくんの身がわりになったおかげで、ひどい目にあってしまった。だけど、ぼくが食べると、それだけ喜んでくれるんだ。アイスクリームもおかわりした。ずいぶんいろんなものを食べたなあ。

そのうち、そとがいくらか明るくなってきた。あけがたになったらしかった。マリオくんのママはぼくに言った。

「ママはちょっと出かけてくるわ。ここで待ってるのよ。どこへも行くんじゃないのよ。いいわね」

何度もくりかえして言われ、ぼくは答えた。

「うん。わかってるよ、ママ」

マリオくんのママは、レストランから出ていった。そして、なかなか戻ってこなかった。食べ終わったのにいつまでも残っていてはお店の主人に悪いんじゃないかと思ったが、べつになんにも言われなかった。

あけがたになったらしいのに、そとはそれ以上に明るくならなかった。時間が止ってしまったみたい。ここの夢の世界はそうなっているのかもしれないね。

マリオくんのママがどこへ行ったのか、ぼくにも想像がついてきた。目がさめて日常の世界のほうに帰っていったんだよ、きっと。どんな家の人なんだろう。のぞいてみようかなあ。ほかにすることもないし、テーブルにもたれてやわらかな音楽を聞いているうちに、だんだん眠くなってきた。


まぶたの裏に、なにかが見えはじめた。クリームや香水のびんがいっぱい並び、きれいなポスターがはってある。しゃれた化粧品のお店だった。そこへ買い物に行ってるところかなと思ったが、やがてそうじゃないことがわかった。マリオくんのママが、この化粧品のお店をやっているのだ。

マリオくんのママの目にうつる光景が、ぼくのまぶたの裏にうつる。目の前に十七歳ぐらいの女の人が来た。お客さんだ。その人が言った。

「クリームちょうだい。どんなのがいいのかしら」

「いらっしゃいませ。お若いかたには、こんなのがよろしいかと思いますわ。この会社のは質のいい製品ばかりですの。じつは、あたしも使っておりますのよ。あたし四十歳ですけど……」

「三十歳ぐらいにしか見えないわ。おばさんは、うまれつきの体質で肌《はだ》がきれいなんじゃないの。そんなふうにすすめられると、あたし、だまされちゃいそうよ」

「あら、お客さんに若く見えるなんておせじをいわれちゃ、逆みたいね。ほんとはずっと顔の右半分と左半分とにちがったクリームをつけて、ききめがこんなにちがいますと、はっきりお見せできればいいんでしょうけど……」

マリオくんのママは楽しそうに笑い、冗談を言いながら、あいそよく品物を売っていた。お店は繁盛《はんじょう》してるらしい。いそがしそうに働いている。飾ってある鏡に、顔がちょっとうつった。明るい表情で、さっきのお客さんが言っていたように、若々しい肌だった。

夢のなかであんなに悲しげに泣いていた人とは思えないぐらい。夢のなかでは、顔のしわももっと多かった。だれが見ても、心の奥にあんな悲しみがあり、眠ると暗い夢の街へ行く人とは思わないだろう。表面はほがらかだからといって、心の底までそうとは限らないんだなと、ぼくは思った。

ぼくは目をさました。つまり、夢の国のレストランのテーブルのそばに戻っていた。そして、大変なことを思い出した。いや、大変なことを思い出したんで目がさめてしまったといったほうがいいだろうな。

それはね、ぼくのパパやママが心配しているだろうってこと。現実の世界におけるぼくは、どうなっちゃっているんだろう。ぼくは面白がってピロ王子のお城で遊んだりしていたけど、そのあいだ、ぼくの家ではどうなっているのかわからないんだ。この夢の世界のほうで眠っても、ぼくの夢の国じゃないから、家のことはわからないんだ。

あの時、ああすればよかったなあと、ぼくは後悔した。パパの夢に入った時のことだ。パパに会って話しておけばよかったんだ。「変なところに入っちゃったけど、なんとか帰るようにやってみるから」って言えばよかった。パパが目ざめて現実の世界に戻る時に忘れてしまうかもしれないけど、こういう大切なことはおぼえていてくれるんじゃないかな。しかし、いずれにせよ、もう手おくれ。パパに伝えるチャンスをのがしてしまった。ママの夢の世界に入れないかな。それができればいいんだけど、ここからどうやったら移れるのか、ぼくにはわからなかった。

レストランのすみに電話機があった。そこへ行って家の番号へかけてみた。しかし、お話し中。何回かけなおしても、いつもお話し中。それから、知っている限りの番号をまわしたけど、どこもお話し中。でたらめをまわしてみても同じことだった。そういうものかもしれないな。夢の世界からかけて、現実の世界に電話がつながるはずはないものね。

ここでぐずぐずしていても、しようがない。なにかやってみなければならないんだ。このままでは、いつまでたっても帰れっこない。どこかで出口をみつけて、べつな夢の世界へ移ってみよう。

ぼくはレストランを出て、道を歩いてみた。さっきと変りなく、うす暗いままだった。ここの昼間は、いつもたそがれ。それ以上に明るくなることはなく、やがて夜になるという世界らしい。まわりの建物の扉も窓も、ずっとしまったままだった。歩いている人はだれもいない。マリオくんのママの心は、こんなふうにさびしいんだな。

ある建物と建物とのあいだの細い道に、ボール紙の箱のおいてあるのが目にはいった。くだものかなにかを送ってきて、いらなくなったあとといった感じの箱。ぼくは立ちどまって、それを見つめた。なぜって、あのなかに入り、ふたをしめたら、またべつな夢の世界に移れるんじゃないかなと思ったからさ。パパの夢の木の幹の穴に入ったら、ピロ王子のほうに移れた。ピロ王子のお城の戸棚に入ったら、ここに来ちゃった。ここでもそうなんじゃないのだろうか。なにしろ、なにかをしなくちゃ脱出できないんだ。

ぼくはその箱に近づいたが、また立ちどまってしまった。そんなことをしてはいけないという声が、ぼくの心のなかでわきあがった。マリオくんのママとの約束を思い出したのだ。レストランで別れる時に「ここで待っているのよ、どこにも行かないのよ」と何度も言われ、ぼくは承知したんだ。その約束を考えると、だまって行ってしまうわけにもいかないよね。

だけど「さよなら」とあいさつをしてから別れるのも変だし、人ちがいだと説明することもできない。そんなことをしたら、あの人、どんなにがっかりすることだろう。またも暗いさびしい街を、さまよいつづける夢に戻ってしまうんだ。といって、いつまでもここにいて、ぼくがマリオくんの身がわりをやりつづけるわけにもいかない。

ほんとに困ってしまったんだよ。どうしたらいいんだろう。マリオくんがここにいればいいんだ。どうして、ここにいないんだろう。パパの夢の世界には、死んだおじいさんだって、元気に存在していたんだ。ここにマリオくんがいないなんて、不公平だよ。

不公平だとぼくは怒ったが、怒ってみてもしようがないんだ。夢の世界では、ふつうの理屈がぜんぶ通用するとは限らない。ここにはマリオくんがいない。いないものはしようがないんだ。

「ああ、変なところへ迷いこんじゃったものだなあ」

ぼくはそうつぶやき、だれも通らない歩道のへりに腰をおろし、なにも通らない車道に足をのばし、また腹をたてた。ぼくをだましてこんな世界へ押しこめてしまった、もうひとりのぼくに対してだよ。なにもかも、あいつのおかげだ。ひどいやつだよ。こんど会ったら、さんざん文句を言って、ぶんなぐってやる。もし、会うことができればの話だけどね。

しばらくのあいだ、ぼくはそこでつぶやいたり考えたりしていた。あたりはしんとして、楽しいことはなにもなく、なにも起りそうになかった。いつかの黒ネコでもいいから来てくれないかなと思ったが、どこからも鳴き声はしなかった。

しかし、その時、ぼくはハーモニカの音を聞いた。気のせいかなと思ったけど、その音はほんとにしていた。はじめは、レストランのステレオだろうと考えた。この街で動くものといったら、どこかにいる黒ネコのほかは、あのレストランのなかのものぐらいしかない。ぼくは歩いてレストランにもどり、のぞいてみた。主人はひとりで店の奥にすわり、いねむりをしているようだった。ステレオも音をたてていない。

それなのに、どこからともなくハーモニカの音が流れてくる。よく耳をかたむけると、あまりうまい吹きかたじゃない。簡単なメロディーの行進曲を、くりかえしくりかえし吹いている。だれが吹いているんだろう。

　ぼくの心のなかで、それを知りたいという気持ちが大きくなっていった。よし、つきとめてやるぞ。また、そんなことでもする以外に、いまのぼくにはすることがないんだ。

　ぼくはじっと耳をすませた。そして、音の方角と思われるほうに歩いていった。ビルのかどのひとつを曲がってみると、むこうに歩いてゆく少年のうしろ姿が見えた。ハーモニカを吹き、それに合わせて歩いているんだ。

　足音をたてないでそっと追いかければよかったんだが、ぼくは「おーい」と声をあげてかけだしてしまった。うしろ姿がぼくに似ていたんだ。だから、思わず叫んでしまったんだよ。ぼくを夢の世界に押しこんだ、もうひとりのぼくかと思ってしまって、さっきの腹立たしさがよみがえったんだ。あいつをつかまえ、文句を言ってやろうと。

　追いかけるぼくに気がついて、その少年も逃げはじめた。逃がしてなるものかと、ぼくは走りつづけた。きのうはぼくがこの街を逃げまわったが、きょうは反対にぼくが追いかける。鬼ごっこの世界だなと、ぼくはちょっと考えた。

　足はぼくのほうが早かったが、むこうはこの街のようすにくわしい。こみいった道に飛びこんだり、物かげにかくれたりする。そして、ぼくが通りすぎると、べつな方角に走りだしたりするんだ。

　だけど、街にはほかに動くものがなく、簡単に見うしなったりはしなかった。ぼくはがんばって走りつづけた。あいつをとっつかまえなければならないんだ。だんだんに追いつく。距離がせばまる。ぼくののばした指先が、やつの背中に何度かさわる。ぼくは力をふりしぼって、飛びついた。肩をつかまえることができた。もうはなさないぞ。とうとうつかまえたんだ。

「さあ、もう逃がさないぞ。ぼくをこんな目にあわせて、どうしてくれるんだ」

　ぼくは両手に力をこめ、そいつの肩先をうしろから押え、前後にゆすった。そいつはあわれな声を出した。

「はなしてくれよ。ぼくは、きみに悪いことなんか、なんにもしていないじゃないか」

「してないなんて言わせないぞ。きみのおかげで、ぼくはこの夢の世界に押しこめられ、困ってるんだ。さあ、ぼくをここから出してくれ」

「しらないよ、そんなこと……」

　まだぐずぐず言っている。男らしくないやつだ。ほっぺたをひっぱたいてやろうかな。ぼくはそいつのからだを動かし、こっちをむかせた。

「あれ……」

ぼくは叫んじゃった。ぼくにいくらかは似ていたけど、ぼくを夢の国に送りこんだあの少年のように、そっくりではなかったんだ。人ちがいをしてしまったようだ。あやまらなくちゃいけないのか、もっと怒るべきなのか、それをたしかめるために聞いてみた。

「きみはだれなんだい。なんて名なの」

「ぼくはマリオっていうんです」

そいつが答えた。そうだったのか、これがマリオくんだったのか。つかまえているぼくの手の力は抜けていった。勝手にそうだと思いこんでしまうと、人ちがいをしてしまうことってあるんだなあ。マリオくんのママもぼくをまちがえ、ぼくもおんなじようなまちがいをしてしまった。ここの夢の世界はうす暗いので、人ちがいをしやすくなっているみたいだ。

ぼくはまちがえたことをあやまろうかと思ったけど、文句を言いたい気分はまだ残っていた。このマリオくんがかくれているおかげで、ぼくが困った立場になっているんだ。

「なぜ逃げたりしたんだい。なぜかくれていて、出てこなかったんだい」

「ひとりでいたかったからだよ」

「だけど、きみのママは毎晩、この街をさがし歩いていたんだよ。きみを呼びながらね。出てきてあげないなんて、ひどいじゃないか」

「だって……」

マリオくんが言ったが、ぼくはようしゃしなかった。

「なにが、だってだい。なにか言いわけでもできるのかい。できないはずだがなあ」

「だって、ママに怒られるだろうと思っていたんだ。ぼくは交通事故で死んじゃったんだよ。ぼくが悪かったんだ。ママはいつも車に気をつけろって言ってたけど、ぼくはおっちょこちょいなんで、信号をまもらずに道路へ出て、自動車にはねられてしまったんだ。だから、ママがぼくを見つけたら、きっとすごく怒るよ」

「そうだったのかい……」

ぼくはうなずいた。そういえば、きのうマリオくんのママに追いかけられた時、最初のうちは声や足音に、怒っているようなひびきもあったみたいだった。だけど、追いつかれてくるにつれ、なつかしさのひびきに変り、つかまった時の声は愛情にあふれた感じになっていた。ぼくは言った。

「きのうの出来事を、きみはどこかで見ていたんだろう。あれで、きみのことをママが怒らないとわかったはずだけどな」

「でも、見ているぼくにとっては、よくわからなかったよ。なにを話しているのか聞こえないんだもの……」

「それもそうだね……」

ぼくはくわしく説明した。ぼくがすっかりマリオくんとまちがえられたこと。ママはとても喜んで、かわいがってくれたこと。いろいろなものを食べさせられたこと。好きでもないのに、ニンジンをたくさん食べなければならなくなったことなど。

「そうかなあ……」

マリオくんは少しうれしそうになった。ぼくは言う。

「そうだとも。今夜からは、きみが会うべきだよ。ね、そうだろう」

「うん」

マリオくんは承知した。ぼくはよかったと思い、ほっとした。それから、べつなことを聞いてみた。

「きみはこの街で、毎日なにをしてたんだい」

「じっとかくれていたんだよ。ママがいなくなると、ハーモニカを吹いて歩いていたのさ」

「だれも話し相手なしにかい」

「黒ネコが遊び相手になってくれたよ。ほかには、面白いことはなんにもないんだよ、ここには」

「つまんない毎日だったろうな。でも、きょうからは楽しくなるんだよ。ママに会ったら、たくさん甘えるといいよ。いろんなものを買ってもらうといいよ。ママもそうしてもらいたがってるんだ。ママはほうぼうのお店をたたいて、あけさせちゃうよ。お店をみんなあけちゃったら、街だって明るくなる。街灯の光も強くなるだろうし、ネオンだってつくさ。ショーウインドウのなかもきれいに光るよ。そのうち、ママの知っている人たちも、ここにあらわれ、にぎやかになる。遊び相手だって、大ぜいできる。いまのママの心はきみにもういちど会いたいという思いでいっぱいで、ほかの人をこの夢の世界に入れさせないんだ。いつまでもこんなさびしい眺めのままじゃあ、きみのママがかわいそうだよ。ママの夢を楽しくしてあげることは、きみにできることなんだ。それに、きみだってそのほうがいいじゃないか」

「そうだね。うん、そうするよ」

そのうち、あたりはまた暗くなりはじめた。あのレストランだけが、そのなかでぽつんと明るく輝いている。そろそろ、現実の世界で眠りについた、マリオくんのママがあそこへ戻ってくる時間なのだろう。ぼくは言った。

「さあ、あのなかにはいって、きみはママを待つんだ」

「うん。だけど、きみはどうするの。ずっとここにいて、いっしょに遊んでくれないかな。そうしてよ」

「そうしたいけど、もっとほかにしなくちゃならないことがあるんだ。行かなくちゃならないんだ」

「ここからはどこへも行けないはずだがなあ。また会えるかしら」

「もしかしたらね。だけど、これでお別れかもしれないな。さよなら」

「さよなら」

とマリオくんは言い、レストランのなかに入っていった。ぼくは道の反対側から、ガラスごしになかをのぞいていた。やがて、マリオくんのママが店に入っていった。大急ぎで歩いていたので、ぼくは気づかれずにすんだ。

ぼくが見ていると、マリオくんは飛びつき、ママもだきしめていた。ふたりとも涙を流しているけど、もちろん、うれしさの涙だ。店の主人が注文を聞いている。ステレオが音楽をかなではじめた……。

あたたかい感じがした。この街にもだんだん楽しさがあふれてくるんだろうな。そのうち、昼間は日光が明るく照るようになって……。

もっと眺めていたかったけれど、ぼくは歩き出した。ぼくのママもパパも、うんと心配しているにちがいないんだ。こんなところで時間をつぶしてはいられない。

さっき見つけておいた、細い横町のボール紙でできた箱のところへ行った。あけてのぞいてみると、なかはからっぽ。きゅうくつそうだったけど、ぼくは身をかがめてなかへはいった。手でひっぱり、ふたをぴったりとしめた……。

5　皇帝ばんざい

まぶしいったらなかった。明るい空。太陽の光がふりそそいでいる。暗いところから急に移ってきたので、しばらくは目をあけていられないような感じ。さっきまでのうす暗い街のことが、頭のなかからすっ飛んでしまった。あたりにあふれているのは、光だけじゃなかった。音もだ。大きな音がわきあがるように響いていた。それが軍楽隊の演奏であることは、すぐにわかった。

人びとの声がする。大ぜいの声なので、ぼくの耳には「わあわあ」と聞こえるだけで、なにを叫んでいるのかわからなかった。ぼくはそっちのほうを見た。ものすごくたくさんの人が集っている。広場があって、そこが人びとでうずまっているんだ。人間をぎっしりと植えた畑のよう。そして、どの人もみな両手をあげているんだ。だから、その手が葉っぱのようで、畑みたいに見えてしまうんだよ。そのうち、みなの叫

んでいる言葉もわかってきた。

「ばんざい、ばんざい」

と言っているんだ。なかには小旗をふりまわしている人もいる。白いのに濃い青で、電光形というのか、Zを裏がえしにしたようなマークが描いてある。それをふりまわしている人たちも「ばんざい」と叫んでいるんだ。広場のまわりは七階建てぐらいのビルなんだが、旗はその窓からもたれていた。

いやに陽気で、楽しそうだった。こんなに大ぜいの人たちが、同じように「ばんざい」と叫んでいるんだから、きっといいことにちがいない。悪いことじゃないはずだ。お祝いかもしれない。カーニバルかなんかかもしれないな。

こんなふうに、なぜ広場がよく見えたかというと、ぼくのいるところが高くなっていたからなんだ。とすれば、広場の人たちにぼくの姿が見られているということにもなる。どう行動したらいいのかまるで見当がつかなかったが、きょろきょろしたり、しょんぼりしてたんじゃあ、みなに悪いように思えた。だから、ぼくも同じように両手をあげ「ばんざい」って叫んでみたのさ。

その時なんだ。上にあげたぼくの両手を、強い力でつかんだ人があった。見ると、グレイの制服制帽の強そうな男がふたり。それぞれが、ぼくの手を一本ずつつかんでいる。引っぱりあげられた形になり、ぼくの足は下からはなれちゃった。そして、はじのほうに運ばれてしまった。ぶら下げられながらまわりを見て、ここがわりと広いバルコニーの上であることがわかった。ぼくは言った。

「助けて。なんにもしないよ。ここはどこなんですか」

しかし、答えてくれない。制服の男のひとりが言った。

「質問するのはこっちだ。あやしいやつだ。おまえはどこから来た。なにしに来た」

そして、ぼくのズボンが調べられた。ポケットやセーターの下に武器でもかくしているんじゃないかというふうに、からだじゅうにさわられた。くすぐったかったけど、笑うどころじゃなかったよ。

「ぼく、暗いさびしい街を通って来たんです。来たくてここへ来たんじゃないけど、リンゴの箱へ入ったら来ちゃったんです」

ほかに言いようがないんだ。ふたりの男は顔をみあわせて相談していた。

「このこぞう、すこし頭がたりないらしい。危険なやつではなさそうだ。どうしたものだろう」

「いちおう、皇帝にご報告すべきじゃないかな」

ひとりがぼくをつかまえてそこで待ち、ひとりがバルコニーから建物のなかに入っていった。その男はやがて戻ってきて、ぼくに言った。

「皇帝はこうおっしゃった。子供は純真だから、いじめてはいかん。バルコニーのはじのほうにいさせてやれ。そして、皇帝ばんざいと、いっしょに叫ばせろ。こういうご命令だ。おい、こぞう。わかったか」

「はい、そういたします」

ぼくはうなずいた。こぞうと呼ばれたのはいい気持ちじゃなかったけど、いちおうは助かったみたいだ。うれしくもなってきた。子供を好きな王さまだなんて、すてきじゃないか。どんなかただろう。じゃまにならないよう、バルコニーのすみにきちんと立ち、ぼくは待った。

バルコニーのすぐ下には、軍楽隊がいた。みがかれたラッパが日光に当って、キラキラしていた。そのうち指揮棒の振られかたが大きくなり、音楽はひときわ高くなった。まもなく皇帝がおでましになるのだろう。

まず、護衛兵の一隊があらわれ、バルコニーの上に並んだ。護衛兵というとこわい感じだが、そうじゃない。みんな若くてきれいな女の人なんだ。うす青い色のぴっちりした制服をつけ、やはり青のベレー帽をかぶっている。あっさりしていて、すがすがしい感じ。ごてごてした飾りなんかつけていたら、催し物の宣伝員みたいで安っぽくなっちゃうけど、そんなところは少しもないんだ。

その護衛兵たちがさっと敬礼をすると、いよいよ皇帝があらわれた。四十歳ぐらいの男の人で、がっしりしたからだつき。まっ白な軍服がよくにあう。宝石をちりばめた勲章がひとつ、胸にかがやいていた。落ち着いた歩きかた。たのもしく、堂々としていて、すごく立派なんだなあ。そのうえ、子供が好きだなんて。ぼくは胸がいっぱいになり、思わず両手をあげて叫んじゃった。

「皇帝ばんざい」

それにつづいて、バルコニーの下の広場の人たちも、大声で叫びはじめた。限りなくつづく山びこのようだ。手があがり、旗がゆれる。

「われらの皇帝」とか「ありがたい皇帝」

そのほか、皇帝をたたえるいろんな言葉が声になっている。ぼくも叫んでいた。

「純真な子供のための皇帝、ばんざい」

なにしろ、すごいさわぎだった。あらしの海面が、あたりで荒れ狂っているよう。バルコニーの皇帝は、みなにむかって右手を振ってあいさつをする。すると、人びとの声はさらに大きくなるんだ。ずいぶん長いあいだ、それがくりかえされた。

やがて、軍楽隊がおごそかなメロディーをかなでた。それとともに、さわぎが静まっていった。それが合図で、叫びをやめるようになっているらしいんだ。皇帝の言葉を聞こうというのだろう。皇帝は小型マイクを片手に持って言った。

「きょうの問題はだ、ある男をどうするかについてである。おい、やつをここへ引きずり出せ」

グレイの制服の男の兵士たちが、五十歳ぐらいの男をむりやり連れてきた。ふとっていて、顔があぶらぎっていて、いやな感じの口をしていて、にくにくしい目つきの人物なんだよ。身をもがいているが、しばられているし、兵士たちに押えられていて逃げるわけにいかない。皇帝はそいつを指さして言った。

「こいつはだ、いばりちらし、よくばりで、人間性がなく、うすぎたなく、いじわるで、だらしなく、悪いやつなのだ。どうしたらいいか」

よくも並べたてたと思えるぐらい、いやな言葉がつながっていた。すると、広場の人たちは大声で叫んだ。

「そんなやつは殺してしまえ。ここは正義と平和の国だ。それをまもらなければならない。われわれのためだ、皇帝のためだ、害虫は殺せ、害虫は殺せ……」

そんなふうなことを、口をそろえて叫びつづけるんだ。しばられている悪人は青くなり、ひざまずき、ふるえながら小さな声で皇帝に言っていた。

「助けて下さい。命だけはお助けを。お願いでございます」

「悪うございましたと、大声で言え。さあ、言うんだ」

と皇帝がそいつに言ったが、悪人は「助けて下さい」とくりかえすばかり。皇帝は部下に命じて、むちでひっぱたかせた。むちは空気を鋭くふるわせ、ぴしりと当る。それを眺めている広場の人たちは、手をたたいてまた叫ぶんだ。

「もっとひっぱたけ。もっとひっぱたけ」

よっぽど痛かったのだろう、二回ほどうめき声をあげた悪人は、がまんしきれなくなって、とうとうあやまりの言葉を口にした。

「悪うございました」

それはマイクでみなに伝えられる。すると、人びとはまたも大声をあげるのだった。

「悪いとみとめたぞ。悪人だとはっきりした。害虫は殺せ、害虫は殺せ……」

にくしみのこもった声。ほっといたら、みなが押しよせてきて、なぐり殺してしまいそうな勢い。皇帝は、それを押えるような手つきをし、おごそかに言った。

「これできまったのだ。あした、広場でこの悪人を処刑する。それまで閉じこめておく。正義と平和、生活と道徳、それを永遠にまもるためだ」

「われらの皇帝、ばんざい」

広場は叫び声の海となる。だれの両手も高くあげられ、声はいつまでもいつまでもくりかえされる。ぼくがなにげなく広場のむこうのビルの窓を見ると、グレイの制服の兵士が銃をかまえていた。ぼくはびっくりしたが、こっちをねらっているのでないことは、すぐにわかった。

だけど、なにをうつつもりなんだろう。銃口は広場のまんなかあたりにむいている。そのへんの人ごみをさがすと、皇帝のほうにむかないでそっぽをむき、ばんざいとも叫ばず、手をあげないでいるのが一人いた。若い男みたいだった。

あの人がねらわれているのかなあ。そうであることも、すぐにわかった。がっくりと倒れちゃったんだ。命中したんだよ。窓の兵士は銃のかまえをやめ、腕にかかえた。すばらしい射撃の腕前だ。しかし、倒れた人のまわりの人びとは、それに気がつかないようだった。ばんざいを叫ぶのにむちゅうなんだろうな。だけど、ぼくはこうも考えた。もしかしたら、倒れた人を助けたりすると、同じように射撃されることになってるのかもしれないと。

軍楽隊が、ふたたび明るく勇ましい曲の演奏をはじめた。皇帝はみなに手を振り、にこやかな顔で建物のなかへと引きあげた。皇帝について、護衛隊の女の人たちが、きびきびした動作でつづいてゆく。ぼくはどうしたらいいのかなあ、と思っていると、しばらくして兵士が呼びに来た。

「おい、こぞう。皇帝がおまえに会いたいとおっしゃっている。いっしょに来い」

あとについて行くと、ものすごく立派な広い部屋に案内された。高い天井からはシャンデリヤが下がっており、床には厚いじゅうたんが敷きつめられている。大きなテーブルがあり、皇帝はそのむこう側にすわっていた。そして、ぼくに言う。

「もっとこっちに来なさい」

「はい、皇帝」

「さっきはいいことを言ってくれた。純真な子供のための皇帝ばんざい、そう叫んでくれたな。うれしいことだ。ごほうびになにかあげよう。なにがいいか」

「ありがとうございます。なにがいいかは、すこし考えてからきめます」

「子供は正直で、遠慮がなくていい。では、考えてからきめるがいい」

と皇帝は言った。ほんとはぼく、自分の家へ帰る方法をみつけたいと思っているんだし、それを手伝ってもらいたかったんだ。だけど、それには長い説明をしなければならないだろう。ひまをみてゆっくり話したほうがいいと考えたんだ。それから、ぼくは聞いてみた。

「さっきの悪人、ほんとに殺してしまうんですか」

「そうだとも。みなできめたことなんだ」

「広場のなかにいた、ばんざいを叫ばなかった人が、さっき銃でうたれましたね」

「そうだよ。そうすることにきまっているんだ。悪に同情するやつは、悪が好きなんだ。悪人の味方なんだ。そういうやつをほっておいては、悪がはびこり、正義と平和が乱れるばかりだ。わたしは正義と平和の味方なんだよ」

皇帝は楽しそうに大笑いした。その笑い声で空気がふるえ、シャンデリヤがチリンチリンとガラスの音をたてるんじゃないかと思えるほどだった。ぼくはなんだかいやな気持ちがした。むちゃな皇帝だ。だけど、それなら悪人を許してやるほうがいいのかとなると、それにも賛成できない。どう考えたらいいのか、わからなかった。それにしても、あした処刑されるというあの悪人、いったいどんな悪いことをしたんだろう。

それを質問してみようかなと思った時、兵士がやってきて、ぼくを引っぱった。

「皇帝はまもなくおやすみになられる。おまえはさがりなさい」

ぼくはおじぎをし、テーブルのそばをはなれ、部屋のはじのほうにさがって立った。見ていると、皇帝のすわっていたうしろの壁が、左右に開いた。皇帝が歩いてゆくと、つぎの部屋の大きな扉が開く。そこが皇帝の寝室らしかった。皇帝がそこに入ると、扉がしまって、その前に二人の兵士が立った。つぎに、さっき左右に開いた壁がしまり、その前にも兵士が立った。

　つまり、皇帝の寝室は何重にも警戒しまもられているということなんだ。裏切り者の出現や、暗殺されるのが心配なのだろうか。それとも、こういう大げさなことが好きなんだろうか。

　ぼくは小さな部屋に案内された。机や椅子《いす》があり、ベッドもある。窓には格子《こうし》がついていて、そとにはとなりのビルの外側が見えるだけだった。兵士は言った。

「ここがおまえの部屋だ。ここにいろ」

「でも、ぼくはそとを散歩したいんです。見物に出てもいいでしょう。どんなところなのか知りたいんですよ」

「いかん。勝手な行動は許されていない」

「じゃあ、そこのベッドで眠る以外にすることがないじゃないの。そうするから、ぼくをひとりにして下さい」

「だめだ。わたしがそばで見張っていることになってるのだ」

　ドアもあけたままなんだ。ぼくがなにか変なことをやるのじゃないかと警戒しているみたいだった。この国では、人間というものをあまり信用してないようだ。子供の好きな皇帝かもしれないけど、あまりいごこちのいいところとは思えないなあ。

べつな夢の世界へ移ったほうがいいかもしれない。ぼくはそう思って部屋のなかを見まわしたが、戸棚《とだな》とか箱といったものはなかった。べつな夢の世界への出口になりそうなものがなかったんだ。ここに戸棚がないのは、外からしのびこんだあやしいやつが、そんなとこに身をかくす心配があるからなんだろうな。

ぼくが逃げ出そうとしたら、そばの兵士はすぐ飛びかかってくるにちがいない。とんでもないところに来てしまった。家へ帰れるのが、またおそくなりそうだ。

というわけで、そこのベッドに横たわって目でもつぶる以外にすることはなかった。また、あの皇帝の日常がどんなのか、それを知りたいとも思ったしね。


目をつぶっていると、まぶたの裏に光景がうつってきた。前にも言ったけど、この夢の世界の持ち主である人の目がテレビカメラで、それで送られてくる画像がぼくのまぶたの裏にうつる。そんなしかけになってるってわけだよ。想像もしなかった眺めが見えてきた。

小さくてよごれた部屋が見えた。畳も古いし、壁もきたない。ほとんど掃除をしていないみたいだ。ごみがいっぱいちらかっている。灰皿にはタバコの吸いがらがたくさんあり、お酒のびんとグラスとがあった。ぼくにはよくわからないが、あんまり高価そうなお酒じゃなかった。変なにおいがしていそうな光景だけど、それはここまで伝わってこなかった。

夢の国じゃあ皇帝だけど、現実の生活はそれとはだいぶちがっている。あわれなところに住んでいるんだ。部屋の小さい点はいいとしても、掃除をしてないというのはひどいよ。だらしのない性格なんだね。なまけ者なのかもしれないな。皇帝はからだをおこし、小さな机の上のやかんを取り、グラスについで水を飲んだ。机の上には安っぽい鏡があり、それに顔がうつった。

さっきの皇帝と、顔つきはまあ同じといえた。だけど、ぶしょうひげがのびていて、髪の毛はぼさぼさ。目がすこし赤く、目やにもついていた。顔もあまり洗わないらしく、よごれっぱなしなんだ。夢のなかとは、感じがずいぶんちがっちゃってるんだ。からだつきも、そんなに堂々としていない。ショボクレオジサンとでも呼んだほうがいいみたい。

めざめているあわれな皇帝、すなわちショボクレオジサンは、ふらふらと歩いて部屋から出た。その時、ドアはがたがたと音をたてた。廊下の板もぎしぎしいってる。ここは古い木造アパートのようだ。アパートの玄関のところに、電話機がおいてあった。

ぼくはそれを見て、家へかけたいなあと思った。夢の国のなかの電話機はどこへもかからず役に立たないが、いま見ているそれは、ちゃんとかかるはずなんだ。このチャンスはのがせないぞ。家へ電話をかけるんだ。かけるんだ。かけてくれ……。

ぼくは必死に祈りつづけたよ。うまくいくかどうかは自信がなかった。だけど、そう祈らずにはいられなかったのさ。そうしたら、そのせいかどうかはわからないが、ショボクレオジサンの手がのろのろとそれへのびて、受話器をとった。しめた。その調子だ。ぼくは自分の家の電話番号を念じつづけた。数字を順番にひとつずつ、精神を集中して並べていったんだ。そう、それでいいんだ。つぎはこの数字……。

なんとかうまくいった。呼び出し音が聞こえはじめた。もうすぐつながるんだ。電話にだれが出るだろう。なんて言ったものだろう。言おうとしても、このショボクレオジサンの声でなんだろうな。そうなったら、かえってパパやママを心配させることになるかな。第一、このいきさつを説明するのも大変だな。そんなことが頭に浮かんだが、これでやっと家に連絡がつくのだと思うと、うれしさで胸がどきどきしちゃった。

ここまではうまくいったんだけど、そのあとがだめだった。そばからべつな人の手があらわれて、電話を切っちゃった。ショボクレオジサンの手から不意に受話器を取りあげて、もとへ戻してしまったのだ。その人は言っていた。

「電話なんか、かけさせないよ。あんた、このごろ部屋代をちっとも払ってくれないじゃないか。そのうえ、電話もただでかけようとする。どこへかけるつもりだったんだい」

「いや、なんとなく電話をかけてみようかなって気になってね……」

ショボクレオジサンはぼそぼそ答えていた。自分でもなぜそんな気になったのか、わからないみたいだ。ぼくが祈ってそうさせたのだとは、気がつかないんだろうな。

相手の人、アパートの管理人らしい五十歳ぐらいの男は、強い口調で言っていた。

「しっかりしなさいよ。ねぼけて夢遊病みたいになっちゃってさ。あんた、性格が弱すぎるよ。いいとしをして、お酒ばかり飲んで、一日中ぼんやりしている。そんなことじゃ、だめだよ。いや、飲むなと言ってるんじゃないよ。ちゃんと働いて、部屋代を払い、そのうえで飲むのならいいけどさ」

「働く気はあるんだがね……」

「あんた、しんぼうがたりないよ。つとめてしばらくすると、上役とけんかをしてくびになっちゃうんだから。だめだねえ」

「おれが悪いんじゃない。上役のほうがいけなかったんだ」

「そういう場合もあるだろうけど、いつもいつもとなると、あんたのほうが悪いような印象を受けちゃうぜ。しっかりしなよ。あんたがそんな生活をつづけるんだったら、このアパートから出てってもらうよ。あんたはひとり暮し、このアパートは古く、部屋代もそう高いものじゃない。働く気になれば、やってけないはずはないよ……」

管理人はぽんぽん言った。ショボクレオジサンはあやまる。

「わかったよ、わかったよ」

そして、自分の部屋に戻りはじめた。ぼくはちょっとがっかりした。電話をかけさせるのは、失敗に終わってしまった。うまくいきかけたのになあ。このショボクレオジサン、性格が弱く、お酒のせいで頭がぼんやりしていて、目がさめたてだった。だからぼくの念じたとおりに動いたのかもしれない。ほかの人だったら、こうはいかないかもしれない。そう思うと、ますます残念だった。

その時、となりの部屋の住人のおばあさんが声をかけてきた。

「お茶でも飲んでかない。あたし、退屈なんだよ」

「はあ……」

ショボクレオジサンははいっていった。やはり同じような部屋だが、こっちはきちんと掃除がしてあった。おばあさんはお茶をいれながら言った。

「あ、さっき新聞をみてたら、あんたの会社の社長さんの写真が出ていたよ。なかなかの人物らしいね。そうそう、あんたはその会社をやめちゃったんだっけね。でも、まあ、ちょっと見てごらん」

ショボクレオジサンの手は新聞をとりあげて開いた。ぼくもそれを見ることができたというわけさ。〈海外へ進出する企業〉という見出しがあり、その社長の写真が出ていた。

その写真を見て、ぼくは驚いてしまった。なぜかというとね、夢の国のなかで悪人にされ、処刑されることになっている人だったからさ。びっくりしたな。バルコニーの上にしばられて連れ出され、みなにどなられ、あやまっていた人物。夢のなかではいかにも悪人らしい顔だったけど、実物の写真だとそれほどじゃなかった。きっと、ショボクレオジサンはこの社長をあんまり好きじゃないんだね。おばあさんにむかって、こう言ってた。

「いやなやつさ、この社長は。こいつの会社は、おれの性質にあわない。つめたいやつばかりなんだ。この社長のせいだ。よってたかってみんなでこいつをやっつけたら、どんなに胸がすっとするだろうか……」

「でもねえ、あんた。あんたの気持ちはわかるし、運の悪いことにも同情するけどねえ……」

おばあさんはいたわるような口調でショボクレオジサンに言った。その話を聞いているうちに、ショボクレオジサンのこれまでの人生がだんだんわかってきた。子供のころはのんびりと育ったらしいんだ。父親は小さな工場をやっていて、いい生活がつづいていた。だけど、その父親が死んで、工場の仕事をひきついでからいけなくなりはじめた。いろんな人にだまされてしまったんだ。本人のひとのいいのがいけないのか、だます人たちのほうがいけないのか、そのへんはなんともいえないけど、やがてその工場はつぶれてしまったというわけ。それからは、さまざまな会社につとめたけど、うまくいかない。工場をやっていた時のくせで、すぐ人をどなっちゃう。つまり、人を使うことにも落第で、人に使われることにも落第。なにをやらせてもだめなんだね。

だけど本人は、自分が悪いなんて思っていない。世の中の人びとみんながつめたく、いじわるだと思いこんじゃってる。といったことを、おばあさんは同情しながら話していた。このおばあさんは、やさしい人。ショボクレオジサンもおとなしく聞いていた。ぼくも同情したくなってきたよ。夢のなかで皇帝になっちゃうというわけがわかったみたいだ。皇帝になってさんざんいばり、自分のきらいなやつを悪人にして、思いきりやっつける。そうしないと気分がおさまらないんだね。

おばあさんは言った。

「あんたは気の毒な人だよ。だけど、いつまでもこんな生活をしてちゃ、つまんないじゃないかね。ほかの人たちが悪いにしても、人生をむだづかいしているようなもんですよ。楽しいこともないでしょう……」

話は忠告になっていった。ショボクレオジサンはもじもじしはじめた。同情されるのは好きだけど、忠告されるのは好きじゃないんだな。それに、おばあさんの退屈しのぎの話し相手にされているようなところもあったしね。

「わかりました。がんばります」

適当なところでショボクレオジサンはあいさつをし、自分の部屋へ戻ってきた。わかったと口では言ったが、どの程度わかったのかなあ。しっかりすべきだとは思ったんだろうが、いますぐしっかりする気にもならないようだ。そして、またお酒を飲んだ。どうにもしようがないって感じだね。ふてくされて寝ちゃおうってとこだ。ショボクレオジサンのまぶたが閉じられ、なにも見えなくなった。ぼくは、夢の国のベッドの上で目を開いた。

そばには、グレイの服の兵士が油断のない姿勢で立っている。さっきからずっと、立ちつづけだったんだろうな。そのうち、べつな兵士がやってきて、ぼくに言った。

「おい、皇帝のお呼びだ。これから街の視察に出かけるが、おまえをいっしょに連れてってやるとおっしゃっておいでだ。どうだ、ありがたいだろう」

「はい」

ぼくは言った。どんなとこなのか、見物はしたかったんだ。さっきの広い部屋に行くと、皇帝がテーブルのむこうにいた。胸をそらせ、堂々としている。現実の世界における本人と、ずいぶん感じがちがうなあ。日常はショボクレオジサンだが、ここでは立派な皇帝。変な気持ちだけど、ぼくはしらん顔をしていた。

皇帝の車はすごかった。大型のオープンカーで、上品な銀色をしていた。乗り心地もいい。ぼくは皇帝のとなりにすわらせてもらった。ただじゃ悪いみたいで、ぼくは叫んであげた。

「純真な子供のための皇帝ばんざい」

ほんとのとこは、あまり叫びたくはなかったんだけどね。そのぼくの声で火がつけられたように、道の両側の人たちが「ばんざい、ばんざい」と両手をあげて叫びはじめた。きのうと同じようなわけさ。人間とは、同じことのくりかえしに対してすぐあきてしまうものだそうだけど「ばんざい」の叫びをあびるのだけは、そうじゃないんだね。皇帝はうれしそうで、片手をあげてこたえていた。

きのうとちがって、ぼくのほうは少しあきていた。まわりを落ち着いて見まわすことができた。ところどころに、ばんざいをしない人がいる。ぼくは皇帝に聞いてみた。

「ばんざいをしていないあの人たち、やはりうち殺されちゃうんですか」

「いや、あれはいいんだ。わたしの部下の秘密警察の者なのだ。ばんざいもいいけど、悪いやつらをみつけるほうが大切だからな」

皇帝は面白そうに笑う。どうも、この笑いは好きになれないなあ。皇帝の車のずっと前には、兵士の乗ったオートバイが進み、車の前後には銃を持った女の護衛兵がついている。道の両側は大ぜいの人のばんざいの声。建物には旗が飾られ、上のほうからは紙ふぶきが降ってくる。皇帝はゆっくりと進む車のなかで立ちあがり、右手をあげてゆうゆうとあいさつをする。ほんとにうれしそうだ。うれしくてうれしくてたまらないといった表情をしている。

そのうち、皇帝は顔から笑いを消し、人ごみのなかを指さして命令した。

「おい、あいつをつかまえろ」

護衛兵たちが、さっと飛びかかる。逃げることもできず、そいつはしばりあげられ、車のそばへ引っぱられてきた。その人の顔を見て、ぼくはあっと言っちゃった。現実の世界の、さっきのアパートの管理人だったのだ。皇帝は言う。

「こいつはなまいきなやつなのだ。皇帝にさからう心の持ち主だ。あとでよく取り調べる。連れてってほうりこんでおけ」

すると、両側の人たちが、またも「害虫は殺せ、害虫は殺せ」と叫びはじめるんだよ。だんだんとこの国を支配している原理がわかってきて、ぼくはこわくなっちゃった。皇帝はべつなところを指さし、また命令している。

「こんどは、あいつだ。いや、そいつはつかまえて連行しなくていい。家へとじこめて、そとへ出ないよう監視しろ。つべこべうるさいことを言うやつだからな」

兵士が二人かけ出し、そのようにした。どんな人かと見ると、さっきのおばあさんなのさ。だれもとめる者はいない。みんな「皇帝ばんざい」と叫ぶばかり。ぼくは車のなかで小さくなっていた。子供の好きな皇帝なんかじゃないんだよ。子供を利用し、人気を高める道具に使っているだけのこと。そう気がつくと、ますますいやになってきた。もし現実の世界で、ショボクレオジサンにいたずらをした子供があったりしたら、この夢の国ではやはり皇帝にひどい目にあわされることになるはずなんだ。

車は街をひとまわりし、またもとの部屋へとぼくたちは帰ってきた。皇帝は兵士に言う。

「そろそろ、きのうの悪人を処刑する時間だ。用意をしろ。人びとを広場に集めろ」

兵士たちは地下室におりていった。悪人を連れ出しに行ったのだ。処刑だなんて、聞いただけでもぞっとする。ここは夢の国であり、現実の世界におけるその人は痛くもかゆくもないわけで、どうでもいいことなんだろうけど、人の殺されるところを見物させられるのはいやだな。ぼくは皇帝に言った。

「やめるわけにはいかないんですか。いくらなんでも、かわいそうですよ」

「いや、やめるわけにはいかない。悪人を消すのはいいことだ。こんないいことはないぞ」

そして、またも大笑いする。ぼくがもっとなんとか言おうとすると、部下のひとりが皇帝にかわって答えた。そいつは、おかかえの学者みたいな感じの人だった。

「いいかね、ここは皇帝の国なんだ。おまえはよそから来た。よそにはよその規則があるだろうが、ここにはここのきまりというものがあるのだ。あれこれ文句を言わないでくれ」

「だけど……」

ぼくはうなずく気分にならなかった。ここは夢の国であり、ぼくに文句を言う権利はないかもしれない。だけど、この独裁国がいつ現実のほうに移ってくるかわからないものね。そうなったら、ことだよ。子供をだしに使って人気を高めながら、正義とか平和とか立派なことを言い、気にいらないやつをみんな殺しちゃうんだからな。

といっても、夢の国にこんな独裁国ができちゃったというのも、もとはといえば、むかしショボクレオジサンのひとのよさにつけこんでだました人たちがいけないんだ。そいつらにも責任があるといえるしね。いやに難問題なのでぼくが首をかしげていると、おかかえ学者が言った。ぼくの考えてることを見とおしたような内容だった。

「あまりとやかく言わないでもらいたい。このような国を持っていることが皇帝のただひとつのたのしみであり、生きがいなんだ。いいかね。この国がなくなっちゃったら、むこうの世界での皇帝は不満のはけ口がないので、なにをなさるかわからない。ひとをぶんなぐるかもしれない。心配なのは、自殺なさることだ。そうなると、われわれみんなが困るのだ。ここのわれわれは、心をあわせて皇帝をおなぐさめするのがつとめなんだ。ここでどんなことがおこなわれようと、自由というべきではないかね」

どんな夢を見ようと、当人の勝手じゃないかというわけさ。むずかしい問題だなあ。

やっぱり自由なんだろう。これでいいのかもしれないな。いけないいっていったって、どうしようもないものね。テレビの番組ならスイッチを入れなければ見ないですむけど、夢となるとそうもいかない。

他人を支配したいという欲望。できれば、たくさんの人を支配したいという欲望。これは人間の心から消えることがないんだろうな。未来のいつかは、だれもが好きな物を食べ、好きなところへ行け、理想的な世の中になるかもしれない。しかし、みんなの支配欲を満足させることだけはむずかしいみたいだな。平等な社会になったら、多くの人は夢の国でこんなふうに皇帝になるんだろうか。

考えても結論は出てきそうになかった。ここでこんな議論をするようになるとは、思ってもみなかった。ぼくはいいかげんに賛成しておくことにした。

「あなたのおっしゃる通りかもしれませんね。皇帝の現実の世界での生活を知ると、じつは、ぼくも同情したくも……」

おかかえ学者に対し、ぼくがなにげなくそこまで言いかけた時だ。それを耳にした皇帝は急に立ちあがり、ぼくを大声でどなった。

「やい、おまえはわたしの秘密を知っているような口ぶりだな。それからさきを、ここでしゃべることは許さん。危険人物だ。おい、だれかこいつを殺してしまえ。ひとこともしゃべらせるな。そうだ、こいつのしゃべるのを聞いた者も殺してしまえ。秘密はまもらなければならないのだ」

皇帝は腰のベルトから拳銃《けんじゅう》を抜き、ぼくをめがけてうった。大きな音がした。しかし、興奮で手がふるえているためか、ぼくに命中しなかった。あたりは大混乱。その混乱がぼくにはちょうどよかった。そのさわぎにまぎれて、そとへかけ出すことができたんだ。

建物のそとへ出る。広場は、これからはじまる処刑を見物しようという人びとでいっぱいだった。ぼくは、そのなかにまぎれこんじゃった。でも、どこからねらわれているかわからない。射撃のうまい兵士のいることは、たしかなんだ。身をかがめて目立たないようにしていた。

ひどいことになっちゃったな。ぼくは怒らせるつもりで言ったんじゃなかったが、皇帝はここでは同情されるのがいやなんだ。みんなに同情されたのじゃあ、皇帝としてちっとも楽しくないものね。しかし、なにが子供の味方だ。ばんざいを叫んだりして、損しちゃった。

そのうち、バルコニーに兵士のひとりが現れてみなに告げた。

「非常事態が発生しました。処刑はあすに延期する。みなさんは早く自宅にもどって下さい。自宅のなかをよく調べ、みなれない者がいたら、そとへ追い出して下さい。怪しい者を自宅にかくまったりしたら、大変な罪になります。家に帰ったら、そとからだれも入らないように、ドアをしっかりしめて下さい。また、街をうろつく者があったら、銃でうたれることがあります」

広場の人たちは散りはじめた。それぞれの家にむかって歩きはじめた。それにまざって、ぼくも歩きはじめた。だけど、ぼくには入る家がない。人びとは自分たちの建物に入り、ドアをかたくしめてしまう。人の流れはしだいにまばらになり、心細くなってきた。広場にあれだけ大ぜいいたんだから、なんとかなるだろうと思っていたけど、そうもいかないんだ。

どうしたらいいんだろう。だれかにたのんで、どこかの建物のなかにかくまってもらおうか。しかし、それにはわけを話さなくちゃならない。どこでも断わられるだろうな。かりに、むりにかくまってもらったとしたら、その人に迷惑をかけることになる。

とうとう、道にはぼくひとりということになっちゃった。ぐずぐずしてはいられない。あわてて近くの建物のドアにかけより、手でたたいたが、あけてくれない。そのとなりの建物も、そのとなりも。ここは、そういう人たちばかりがいる国なんだろう。

皇帝に忠実な人たちばかりなんだ。

どこからか、戦車の音がひびいてきた。ぼくを追いかけてきたらしい。ぼくはかけつづけた。かけてもむだだということはわかっている。夢の国っていうのは広さに限りがあって、いつのまにかもとへ戻ってしまうしかけになってるんだ。だけど、そうと知ってても、うしろから戦車の音が近づいてくると、逃げずにはいられない。

しかし、ぼくは立ちどまった。道のむこうから、護衛隊の女の兵士たちが、銃をかまえてやってくるのが見えたからだ。スマートだなんていってる場合じゃない。軍用犬も連れている。

前へも進めず、うしろへも戻れない。ぼくはまわりを見まわした。道の右側の、建物と建物のあいだに細い横町があった。そこへかけこむ。しかし、いずれにせよだめなんだ。あの軍用犬たちにかぎつけられてしまうだろう。そして、銃でうたれてしまうんだ。殺されてしまうんだろうか。もともと夢の国の人間なら、殺されたってどうってこともないんだろうけど、ぼくはちがうんだ。どうなるんだろう。そんなことが頭にちょっとだけ浮かんだ。

「さあ、こっちへおいで。早く……」

ぼくの耳もとで声がした。ぼくは気のせいだろうと思った。ここは皇帝の国で、ぼくの味方のいるわけがない。しかし、その声はくりかえされ、ぼくはだれが言ってるのか知ろうと、首を動かした。

建物の、地面から二メートルぐらいのところに窓があり、そこから二十歳ぐらいの青年が顔を出し、ぼくに呼びかけているのだった。ぼくは小さな声で聞いた。

「そんなことしていいの……」

「いまは、そんなことを考えてる場合じゃないよ。このままだったら、やられちゃう。さあ、ここから入れよ。手を貸してあげる」

青年はぼくに手をさしのべた。ぼくは考えることもなく、それにつかまって飛びあがり、窓からなかへ入った。小さな部屋だった。青年は窓をしめ、カーテンを引いて言った。

「これで大丈夫だろう」

「どうもありがとう。だけど、ぼくをかくしたことがわかったら、あなたもつかまって罰せられちゃうでしょ。そうなったら悪いな」

ぼくはお礼を言いながらも、そのことが気がかりだった。青年は言う。

「しかし、逃げまわって助けを求めている人を見たら、ほっとくこともできないよ」

「あなたは、この街の人なんですか」

「そうだよ。なぜだい」

「ただ聞いてみたかっただけです……」

とぼくは答えた。ちょっとふしぎだったんだ。ここは皇帝の国なんだし、皇帝のいうとおりになる人ばかりのはずなんだ。もしかしたらこの人、ぼくをつかまえる役目の秘密警察の一員なのだろうか。しかし、そんな感じはしなかった。純粋な性質らしい顔つきをしている。なんだか、どこかで見たような人のように思えたけど、それ以上はわからなかった。

危険をのがれてほっとしたけど、その安心も長くはつづかなかった。軍用犬のほえる声が近づいてきて、窓の下でとまった。こわさで飛びあがり、ぼくはドアから逃げ出そうとした。しかし、ドアのそとで足音がし、人のどなる声がした。

「おい、ここをあけろ。なかを調べなくてはならないんだ」

ドアをたたく音がする。もう、どこにも逃げられないんだ。青くなってふるえているぼくに、青年が言った。

「そこに洋服ダンスがある。そのなかにかくれるといいよ」

「だけど、あなたは……」

「いいから、早く、早く」

そうせかされ、ぼくはそのなかに入った。ドアのそとの声ははげしくなり、とうとうドアをこわして、兵士たちが入りこんできた。そして、青年に言っている。

「この部屋に、怪しいやつが来たはずだ」

「いいえ、だれも来ませんよ」

「そんなはずはない。軍用犬がここだとほえている。うそをついたら、おまえも処刑されるのだぞ。さあ、その洋服ダンスの戸をあけてみろ」

「勝手なことはやめて下さい……」

青年が言い争っている。しかし、さからってもむだなようだ。あけられたら大変と、ぼくは戸を内側で強く引っぱった。かすかにあいていたすきまがなくなり、なかはまっくらになった。

暗いなかで、ぼくを身をもってかばってくれている青年の顔を思い浮かべた。そして、気がついた。どこかで見た人だということ。あの皇帝の顔なんだ、つまり、ショボクレオジサンの顔なんだ。それをずっと若くすると、いまの青年の顔になる。

あのショボクレオジサン、不運な人生を重ねてきて、それをおぎなうため、夢のなかにむちゃくちゃな独裁国を作りあげてしまった。しかし、全部がむちゃくちゃじゃないんだ。純粋だった若いころのことが、あの青年という形で、少しだけここに残っているというわけなんだろうな……。

そう思いながらも、ぼくはふるえていた。いまにも戸があけられ、銃をつきつけられることになるんだろうと……。

6 ほほえみ

ずいぶん長いあいだ、ぼくはふるえていた。時間がとまってしまったのか、ぼくの頭がどうかなったのか、そんな感じだったんだ。銃声もせず、人の声も聞こえず、ずっと静かなままだったんだ。

手を前にのばしてみる。しかし、そこにはなんにもなかった。ぼくは前へ倒れそうになった。まっくらで、なにも見えない。うしろに手をのばしてもみたし、右と左にものばしてみた。あたりがどうなってるのかわからないのは不安なものだが、ここは洋服ダンスのなかではないみたいだ。

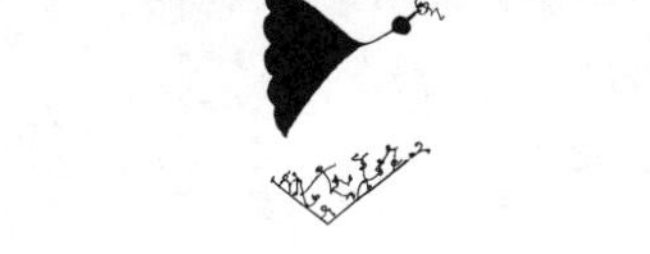

べつな人の夢の世界に移ってしまったんだな。ぼくはそう気がつき、いくらかほっとした。だけど、それにしても暗いところだなあ。ぼくは目をぎゅっとつぶり、まぶたの上を指でこすってから開いてみた。しかし、やはりまっくら。どんな人の夢の世界なんだろう。目の不自由な人の夢の国なんだろうか。どっちへ歩いていったらいい

のかもわからない。ぼくはしゃがみこみ、しばらく休んだ。急にぱっと明るくなってくれないかなあ。そして、そこにドアがあって、それをあけて入ったら、ぼくの家だった、なんてことになってくれないかなあ。そうなってくれたら、どんなにいいだろう。

だけど、いっこうに、そうつごうよくはなってくれなかった。暗いままなんだ。未知なものを含んだ、どこまで深いのかわからない黒さが、ぼくをとりかこんでいる。音もしない。耳をすませても聞こえるものは、自分のからだのなかの心臓の音ばかり。ここでいくら待ってみたって、なんにも起りそうにない。どうにもならないんだ。なんでもいいから、どこかへ行ってみなくちゃあ。でも、どこへ……。

なにか目標がほしいな。暗やみのなかをむやみに歩きまわったって疲れるだけだ。ぼくは立ちあがり、背のびしてみた。そうしたら、遠くのほうにあかりがひとつ、ぽつんと見えたんだ。希望の光なんて言葉があるけど、そんなに力強い光じゃないんだ。黄色く弱々しく、いまにも消えてしまいそう。

それだって、なんにもないよりは、どんなにいいかわからない。進む方角だけはきまったんだ。そっと歩く。足の下の地面は、短い草がはえているような感じだった。どんな草なのかは見えないからわからなかったが、枯れた草のように思えたな。花のかおりも草の葉のにおいもせず、いきいきとしたものがなんにも感じられなかった。

あかりが近くなってきた。古ぼけた街灯の光だということがわかった。古めかしい形だったし、いまどきあんな弱い光の街灯なんかない。ぼくはふと、またマリオくんのママの夢の世界に戻ったのかと思ったが、そうではないだろうと考えなおした。マリオくんのママの夢の世界なら、いまはもっと明るくなってるはずなんだ。

ここは暗くさびしい。それどころか、絶望とか陰気とか、ぼくのようなものにはがまんできない空気が、あたりにただよっている。つまり、笑ったり大声で叫んだり、手をたたいてはねまわったり、そんなことをしてはいけないという感じなんだ。

近づいて街灯を見あげた。電球のそばに虫でも飛んでいてよさそうなものだが、小さな虫さえ一匹もいなかった。たよりない弱い光は、その下のあたりだけをかすかに照らしていた。そこは道路らしかった。黄色く照らされている丸い部分の、むこうの半分は舗装された道路、こっちの半分は石を敷いた歩道。また、そこにはバスの停留所の標識が立っていた。ぼくはそれに、急ぎ足で近よった。それを読めば、ここがどんなところなのか見当がつくだろうと思ったからさ。

だけど、がっかりしちゃった。字も地図も、なんにも書いてないんだ。変だよね。なんにも書いてないバスの標識なんて。バス会社の名前も書いてない。どこへ行くバスなのかも書いてない。ぼくは念のために標識の裏へまわってみた。片面を書き忘れてこうなってしまったのかと思ったんだ。だけど、裏側もおんなじ。やはりなんにも書いてなかった。きみがわるくなり、なぜだかわからず背中のほうがぞっとしちゃった。

背中のほうのぞっとする感じは、なかなか消えなかった。そして、ぼくはふりむき、こんどこそ本当に息がとまりそうになった。六人ほどの人影がそこにあったんだ。街灯の光が闇《やみ》のなかにうすれる境目あたりに、ばらばらに立っている。ぼくはそのとたん、おばけが集ってるのかと思ってしまった。

ほんとにおばけかと思ったんだよ。どの人もみな元気がなく、やせていて、青ざめた白っぽい顔をしていたんだ。街灯のあかりが弱々しいためかもしれないけどね。としよりが多いようだった。そうでないのは病気の人みたいだ。力なく、手を下げたまま動かさず、ただじっと立っているだけなんだ。笑いもしないし、目もぼんやりしている。ぼくの姿が目に入らないのだろうか。こっちへ顔をむけようともしないんだ。

話しかける気には、なれやしない。かりに声をかけたって、だまったままでなにも答えてはくれないだろう。いやないやな感じなんだ。少しでも早くここをはなれたい気分だったが、それならどこへ行くべきかとなると、そのあてがない。どっちをむいても、まっくらな闇。底のないような闇のなかへまた戻って行く気にもなれない。べつな人の夢の世界へ移ろうにも、それへの出口を見つけられそうにない。ぼくは身動きがとれない形だった。さむけがしてきた。

心細くなる一方。どうしようかなと考えていると、歩道の上にもうひとりあらわれた。暗さのなかからやってきて、ぼんやりとした街灯の光のなかに入ってきたんだ。かすかに靴《くつ》の音がした。その人は、そのへんにいるおばけのような六人の人とはちがっていた。

女の人なんだ。二十歳ぐらいかなあ。色の白いきれいな人だよ。髪の毛は肩のあたりまでのばしていた。洋服を着ている。地味な色だけど、上品な服だった。ハンドバッグは持っていなかった。

その女の人も、こっちをむいてぼくに気づいた。目がちょっとだけ大きく見開かれた。しかし、なんにも言わなかった。ほっそりとしたスタイルで、顔つきもどちらかといえば長めだった。まつげも長かった。まじめそうで、なにか思いつめているようで、あきらめを心のなかにいだいているよう。そんな印象の表情だったんだ。にっこり笑ってくれればいいのにと思ったけど、やはり笑ってはくれなかった。ほかの人と同じように、街灯のそばで立ちどまり、じっと立ちつづけるだけなんだ。

何人もの人が近くにいるのに、話し声ひとつしないのって、いやなものだよ。ぼくは、とうとうがまんしきれなくなってしまった。そこで女の人に声をかけてみた。そのほかの人たちには、きみがわるくて話しかける気がしなかったんだ。

「あの、ここはどこなんでしょうか」

「わかんないわ」

女の人の声はきれいだったが、感情のこもってない口調。うれしさも、楽しさもどこかへ忘れてきたみたい。

「どこへ行く道なんでしょう、これ……」

「わかんないわ」

「わかんないのに、なぜここへやってきて、ここで待っているんですか」

「それもわかんないわ。あたし、なぜだかしらないけど、ここへ来て待っていなくちゃいけないような気持ちになったの」

「よくわからないなあ……」

「ほかに、なんにもすることがない。だから、ここへ来た。ここへ来る以外にすることがない。そんなような気持ちなのよ」

「ここで待っていると、なにが来るんですか。なにかいいことが起るんですか」

「わかんないわ。ここになにかが来て、ああこれだったのかとわかるのかもしれないし、その時になってもわからないかもしれないし……」

ぼんやりした答えばかりだった。いくら質問を重ねても、しようがないみたいだ。ぼくは話しかけるのをやめ、左右にのびている道路を眺めた。女の人の答えと同じように、そこもぼんやりしていた。街灯の光が弱いので、十メートルぐらいから先は、なんにも見えないんだ。黒くつめたい霧がたちこめているようで、ぜんぜんわからない。強力な照明灯で闇を追いはらい、遠くまで明るくしたらどんなにすっとするだろうなと思ったが、そんなこと、いまはできっこないんだ。

闇のなかから闇のなかへのびているこの道。ここをなにが通るのだろう。とんでもないものがあらわれるんじゃないのかなあ。ぼくはまた女の人に話しかけた。

「こわくない……」

「いいえ、なんともないわ」

女の人は首をふり、それだけだった。普通の人なら、こわくないと答える時にむりにでも笑ってくれる。ぼくはそれを期待したんだけど、だめだった。笑ったらすてきな表情になると思うんだがな。この女の人は、こわいという感情もまた、どこかへ忘れてきたみたいだった。

「ぼく、こわくてならないんです。足がふるえてとまらない。足に鈴をたくさんつけたら、にぎやかな音になるでしょうね」

それほど足がふるえていたわけじゃないけど、そんな話をしたら笑ってくれるかなと思ったんだ。ぼくをはげますようなことを言ってくれるかもしれない。しかし、だめだった。

「そうね……」

女の人はそれだけしか言わなかった。しかたがないので、ぼくはまた、道ののびていると思われる方角の闇の奥を見つめていた。すると、遠くになにかを感じた。最初は気のせいかとも思ったが、そうじゃなかったんだ。黄色っぽく小さな光が二つあらわれ、少しずつ大きくなる。こっちへむかってくるらしかった。

「なにかが来ますよ」

ぼくは声に出して言った。みなの待っているものが来たらしいんだ。早くそれを教え、喜んでもらおうと思ったからさ。大声で叫んだのではなかったけど、静かなんだから、みなの耳には聞こえたはずだった。それなのに、だれもうれしそうな顔をしなかった。さっきの表情と変りない。待ちつづけていたものが来たというのにね。

黄色い二つの光は、さらに大きくなった。そして、形がわかるようになった。なんだと思う。一台のバスなんだよ。暗いもやのようななかから、音もなくあらわれた。バスといっても、旧式の古ぼけたバス。スマートな形じゃなく、ガタガタと音をたててもいい感じなんだけど、なんの音もたてないんだ。変な感じだった。バスには会社の名前もマークもなく、行き先も書いてない。なかには四人ほどお客が乗っていたが、その人たちも、ここで待っている人たちと同じように、みんな表情のない顔でじっとしている。

そのバスは速力をゆるめ、停留所の標識のところでとまった。ブレーキの音もたてず、ボートがとまるような感じだったな。ドアがひとりでに開く。静かにゆっくりと開いた。自動式のドアとも思えないんだがな。車掌さんはいない。運転手が席にすわったままボタンでも押したのかなあ。運転手は黒っぽい制服と制帽、顔はよくわからなかった。バスのなかの照明もうす暗かったんだ。

停留所で待っていた人たちは、それまでは人形かなにかのようだったが、はじめて動きだし、のろのろとバスの入口のほうに集ってきた。乗りはじめる。きれいな女の人も、乗ろうとして少し歩いた。だけど、ぼくはこの女の人ともっと話していたい気持ちだったんだ。みんながバスで行ってしまったら、ぼくはここでひとりになってしまう。また、この女の人の笑う顔ぐらい見たいと思ったんだ。なんとか乗るのをやめさせたかった。そこで、ぼくはバスの入口から運転手さんに話しかけた。

「ぼく、このバスがどこへ行くか知っていますよ。むこうへどんどん行くんでしょうけど、いつのまにかどこかを回って、道の反対のほうから、いまのようにここへ戻ってきてしまう。そうでしょ」

女の人に、乗っても意味がないってことを、それとなく教えようと思ったんだ。しかし、運転手さんは首をふった。

「ちがいますよ。乗った人はここへは戻って来られません。つぎのバスはいつ来るかわかりませんね。当分はこないでしょう」

「そんなはずはないんだがなあ。よその夢の国じゃあ、どっちへ進んでも、もとへ戻ってくるしかけになってたんだがな。それなら、ぼくも乗ってたしかめてみようかな」

「だめです、あなたは乗せてあげられません」

と運転手さんは言った。ほかの人たちは、つぎつぎに乗りこんでいる。声もたてず、行き先も聞かず、わかりきったことのように、運命に従ってでもいるかのように乗りこんでいるんだ。そして、あいている席にすわり、となりの人にあいさつもせず、じっとしてしまう。

しかし、ぼくは乗せられないという。だめらしいんだ。それなら、女の人も乗せたくなかった。その女の人が最後になった。運転手さんが言った。

「その女のかた、どうなさるんです」

「乗せてもらうわ。そのためにここで待ってたんですもの」

ぼくは女の人の手をつかまえて言った。ひんやりした手だったが、ここで別れたらもう会えないのだと思うと、そんなことを気にしている時じゃなかった。

「ねえ、このつぎのにしたら……」

「でも、つぎのバスは当分やってこないんでしょ。坊や、なぜあたしを引きとめようとするの」

女の人は乗りたいらしかった。それをむりに引きとめちゃあ悪い。お別れなんだ。だから、ぼく、ちょっとはずかしかったけど、思いきってこう言っちゃったんだ。

「あなたがきれいだからですよ。笑ったら、もっともっとすてきだと思うんです。本当にこれで会えなくなるのなら、笑い顔を見せてくれませんか。ぼくはここでひとりぼっちになってしまう。あなたの笑い顔を思い出にとっておきたいんです」

女の人はぼくのほうを見て、ほんの少し笑ってくれた。口もとのまわりに、ほほえみを浮かべた。あれでも笑ったうちに入るだろうかという程度だったが、とてもいい感じだった。自分にもひとの役に立つことができる、それにふと気づいたというようなふうだった。

バスの運転手さんが言った。

「発車しますよ」

「あら、あたし乗るのよ。待って」

「だめです。あなたは乗れません」

運転手さんの言葉に、女の人は抗議をするような口調で言った。

「なぜなの。さっきは乗ってもいいような話だったのに」

「あなたはいま、ちょっと笑った。ほほえみの残っている人は、だめなんです。これは規則です。入口のところの掲示に書いてあるでしょう」

入口からのぞいてみると、たしかにそう書いたものがはってあった。女の人もそれをみとめた。そして不満そうな顔をした。こんな変な規則、どういうことなんだろう。しかし、そんなことにおかまいなく、バスのドアがしまってしまった。開いた時と同じように、音もなくしまったんだ。また、エンジンの音を少しもたてずに動きだした。濃い闇のなかに、たちまち消えてゆく。その時に気がついたんだが、そのバスには車体のうしろのライトがなかった。だから、すぐに見えなくなってしまったんだ。まっすぐ行ったのか、右へか左へかもわからない。女の人はぼくに言った。

「乗りそこなっちゃったわ。坊やのせいよ。でも、いいわ。乗せてくれないなんて失礼なバスなんか、戻ってきたって、しゃくだからもう乗ってやらないから」

そして、笑った。最初のうちはいじわるなバスに対して、くやしまぎれに笑っているみたいだったが、そのうち、ほんとに楽しそうな笑いになった。

その笑いがどんどんひろがっていったんだ。まず女の人の顔じゅうにひろがり、肩だの胸だの、からだじゅうにひろがり、さらにひろがりつづけた。からだのそとへもひろがっていった。明るさがあたりに発散したんだ。

文字どおりに明るさがひろがっていった。すべてが元気づき、いっぺんに朝が訪れてきたようだ。暗さがうすれ、まわりが見えてきた。

気がつくと、花がいっぱいに咲いた高原だった。いつのまにか道も消えてしまっていたし、街灯もバスの標識もなくなっていた。空も明るさをまし、きれいな青空になった。少しはなれてシラカバの林があり、そこからは鳥のなき声が聞こえてくる。なにもかも、いきいきとしている。女の人は言った。

「あたし、眠くなっちゃった。ちょっと横になるわ。坊やはどうする」

「ぼく、坊やなんかじゃないよ」

「そうだったわね。明るいところでよく見ると……」

女の人は笑い、横になった。ぼくも少しはなれた場所で横になった。空を見あげる。すごく気持ちのいいところなんだ。さっきまでの、暗く陰気だった空気がうそのようだ。ぼくも目をつぶる……。


ぼくが目をつぶると、女の人の日常の世界がまぶたの裏に見えてきた。男の人の顔が、すぐ近くにあった。そこがどんな場所で、どんな人なのかわからないけど、失礼な男だなあとぼくは思った。

だけど、失礼な行為じゃないということが、すぐにわかった。お医者さんだったんだ、その男の人。その人はこう言っていた。

「ああ、よかった。やっと危機を越えたようです。眠り薬をたくさん飲んで自殺をはかるなんて、いけませんよ。失恋なさったのか、仕事上の責任のためか、自分は社会の役に立たない人間だと思いこんで生きる自信をなくされたのか。なぜそんな気になられたのかはわかりませんが……」

「ええ……」

女の人はなんとか言いかけたけど、声ははっきりしなかった。からだが弱っているようだった。お医者さんは言う。

「発見がおくれたので、一時はもうだめかとも思いましたよ。できるだけの手当てはしましたが、最後は本人の、生きようとする気力の問題なんです。しかし、さっき、あなたのお顔にほほえみが浮かんだ。それを見てほっとし、わたしもさらに手当てに力を入れたのです。ほほえむという感情が戻ったからには、あなたもこの世になにかの価値をみとめているにちがいない、もう大丈夫とね。こんなむちゃは、二度となさらないように」

「ええ……」

わけがわかって、ぼくはびっくりした。そうとは知らなかったなあ。あの女の人は、死にかけていたんだね。あぶないところだったんだ。とすると、あのバスは死の国へのバスだったということになる。いまになって思いかえすと、いかにも死の国へのバスといえる点ばかりだった。物さびしく不吉で、いきいきとしたところがまったくなかった。ほほえみの残っている人を乗せなかったのも、そのせいだったんだな。

女の人は乗りこまなくてよかったな。あのまま乗ってしまったら、二度と戻れないところへ運ばれることになったのだ。

ぼくも乗らないでよかった。いや、それとも、むりにでも乗ったほうがよかったのだろうか。夢の国から出られたかもしれないんだ。だけど、とても乗る気にはならなかったし、乗せてもくれなかっただろうな。

ぼくはそんなことを考えながら、目をつぶっていた。まぶたの裏には、お医者さんの姿もなにも、もううつっていなかった。女の人がまた眠ってしまったんだな……。


ぼくが目をあけると、女の人は立ちあがっていた。そして、ぼくに言った。

「ねえ、かけっこでもしましょうか」

「元気なんですね。さっきまでとは、みちがえるようですよ」

ぼくが言うと、女の人は自分に言いきかせるようにうなずいた。

「これでいいのよ。これが本当なんだわ。さあ、むこうに小さな山小屋があるわ。あそこまでかけっこしましょう」

「よーし」

ぼくはかけだした。女の人もいっしょうけんめいで早かった。明るい夢の国になったなあ。もう死のうなんて考えず、死の国へのバスがここへやってくることもないんだろうな。ぼくは負けちゃあしゃくだから、どんどんかけ、小屋へたどりついた。

「一等だよ……」

そして、小屋の戸を勢いよく押して、なかへ飛びこんだ。開ききった戸は、はずみがついて戻り、ぼくのうしろでばたんとしまってしまった……。

あたりのようすが、ぱっと変った。しまった、とぼくは思った。べつな人の夢の世界に移ってしまったんだ。あの女の人と別れちゃったんだ。もう会えないのだ。

それでも、ぼくは女の人がまだそのへんにいるんじゃないか、いてくれればいいなと思って、あたりを見まわしてみた。だけど、女の人の姿はなかった。

7　砂の上

それにしても、ここは変なところだった。直径が四十メートルほどの円形の場所なんだ。まわりがどうなっているかというと、白く濃い霧のようなものが丸くとりかこんでいるんだ。なにかにたとえるとすると、こんなふうになる。うんと大きなガラスのコップ、それを牛乳の海のなかに押しこむ。そして、そのコップの底にぼくが立っている。そんな感じなんだ。上を見あげると、どれぐらいの高さのところかはわから

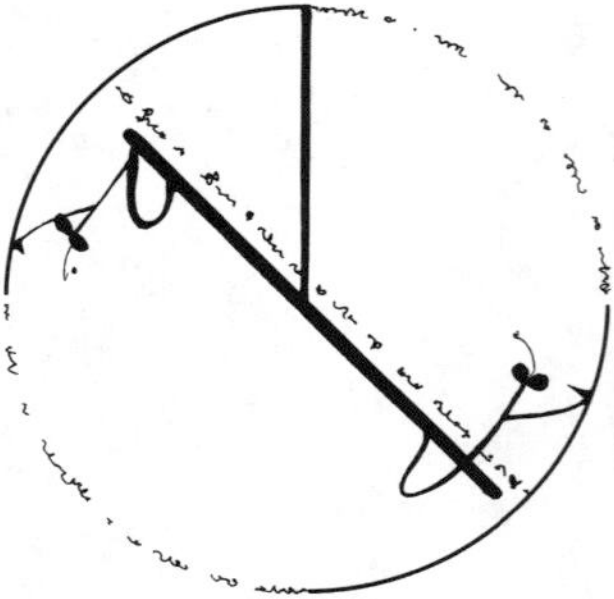

ないけど、やはり雲みたいなものがおおっている。暗くはなかった。

地面はというと、砂なんだ。ちょうど、海岸の砂浜のところを直径四十メートルに丸く切りとり、それを運んできてここに置いたという形なんだ。海が見えるわけでも波音が聞こえているわけでもないのに、なぜ砂浜を思い出したかというと、そのまんなかあたりに月見草が三本ほどはえていて、黄色な花をつけていたからだよ。あざやかな黄色で、きれいはきれいなんだけど、やっぱり変な感じだなあ。なぜこんなとこに咲いてるんだろう。そのほかは砂と、周囲の白い霧だけ。ぼくはまわりを見まわすが、そのうち目はしぜんに月見草にもどってしまう。

その月見草のむこうに、ひとりの少年があらわれた。さっきからいたのかもしれないけど、ぼくはいま気がついたんだ。ぼくと同じくらいの少年。あいつがこの夢の国の主人公なんだろうな。ほかに考えようがなかった。それにしても、月見草と砂だけの夢の国って、あっさりしすぎている。いままでになかった。その少年はスポーツをするような服装をしていた。ぼくは声をかけてみた。

「こんにちは……」

だけど、返事をしてくれないんだ。大声をあげてもだめだった。ぼくがいるのにも気がつかないといったようす。礼儀しらずだなあ。ひどいやつだ。しかし、もしかしたら耳が不自由なのかもしれない。そうだとしたら、礼儀しらずだなんて怒っちゃいけないな。

　そんなことを考えながら、ぼくはそいつを見つめていた。なにをはじめるか興味があるものね。ぼくは早く家に帰りたいんだし、夢の国からなんとか脱出しなくてはならない。しかし、ここをとりまいている白い霧のなかに飛びこんでみる勇気もない。少年がなにをはじめるのか、しばらく眺めてみることにしたんだ。

　すると、そのスポーツ服を着た少年、月見草の花を手でつみとった。そして、それを自分の顔の前へ持ってきた。においをかいでるって感じなんだ。スズランやバラの花なら、においをかぐってこともあるけど、わざわざ月見草のにおいをかぐなんて、ものずきなやつだなあ。どういうつもりなんだろう。

　少年はにおいをかいだあと、その花をほうり投げちゃった。それからなにがおこったかというと、その少年、突然さかだちをしたんだよ。あんまりうまくないけど、手を砂の地面につき、足を上にあげている。とにかく、さかだちなんだ。楽しそうだった。

　そこでぼくは考えたんだ。あいつ、きっと遊び相手がいないんで、退屈してるんだなって。そうでもなかったら、ひとりでさかだちなんかしないものね。ぼくは近よっていった。もし耳が不自由なら、そばへ行ってあげないことには、ぼくの存在に気づいてくれないだろう。

砂の上をさくさくふみしめて歩いた。どこからともなく、ぶつぶつつぶやくような声が聞こえてくるみたいだった。少年がひとりごとを言ってるのだろうか。

ぼくがそばへ行った時には、少年はさかだちをやめ、立って手についた砂をはらい落していた。しかし、ぼくが前に来たのに、顔の表情を変えないんだ。ぼくが「やあ、こんにちは」と、またあいさつをしたけど、やはり返事をしてくれない。耳ばかりか、目も不自由なんだろうか。もっとそばへ寄って、肩をたたいてあげようかな。

そのとたん、予想もしてなかったすごいことがはじまったんだ。その少年がぼくになぐりかかってきたんだよ。げんこつが目の前に突き出された。ぼくはあわてて首をまげた。だけど、こんなことになるとは思っていなかったので、身をかわすことができなかった。頭はなぐられずにすんだが、やつのげんこつはぼくの肩に当って、よろけてしまった。そう痛くはなかったが、まったくひどいやつだなあ。夢のなかで、こんなに乱暴をするなんて。

この少年、現実の世界ではおとなしく、いつもいじめられているのかもしれない。それを夢の国でおぎなおうとしてるんだろうか。それならそれで、あの独裁国の皇帝みたいに、きらいなやつをここに出現させてなぐればいいんだ。ぼくになぐりかかるなんて、むちゃだよ。ぼくは言った。

「おい、よせよ、そんなことするのは。ぼくはなぐられたくてここへ来たんじゃないよ。しかたなくて来ちゃったんだ。ほんとは家へ帰りたいだけなんだよ……」

しかし、なんの役にも立たなかった。ぼくの言うことが耳に入らないのか、またなぐりかかってくる。そのうち、組みついてきた。すもうをとるつもりらしい。ぼくもすもうなら、友だちにくらべて弱いほうじゃない。しかし、かなわなかった。そいつの強いことといったら、段ちがいなんだ。たちまち投げとばされてしまう。下が砂だからたいして痛くないが、負けっぱなしというのはいやだ。ぼくは何度も立ちあがり、むかっていった。一回ぐらいは、やつを投げとばしてやりたい。そうしようとしたんだけど、だめなのさ。投げられるのは、いつもぼくのほう。

降参するしかない。くたびれてもきた。ぼくは砂の上にねそべったまま、起きあがるのをあきらめちゃった。ぼくのそばに立っている少年は、とくいげに手をあげ、服についた砂をはらい落している。

そこへ、またどこからともなく声がしてきた。それなのに、少年の口は動いていない。べつの人の声なんだなと、ぼくは思った。いったい、どこから声が聞こえてくるのだろう。まわりをとりかこんでいる、この白い濃い霧のなかにだれかいるのだろうか。こんなことを言っていた。

「あなたは勝った。倒れている相手を助けおこし、握手をしてあげなさい」

少年は言われたとおり、ぼくの手を引っぱって立たせてくれた。ということは、耳が不自由ではないのだろう。ぼくの声に対してはしらん顔なのに、このふしぎな声は聞こえるんだね。

「さあ、握手をするのです……」

その声はまたもひびいてきた。だれの声なんだろう。なんのために言ってるんだろう。あの声がこの少年をけしかけ、ぼくをなぐったり投げとばしたりさせたんだ。いい迷惑だよ。なんとかしたいと腹を立てたが、だめだった。声がどの方角から聞こえてくるのかわからないし、石を投げつけようにも砂しかないんだもの。

そんなことにおかまいなく、少年はぼくと握手をした。なにか言うかと思ったけど、だまったままだった。そのうち、ふしぎな声はこんなことを言いはじめた。

「あなたは、これから現在に戻ります……」

そして、またまた変なことが起ったんだ。ぼくの前にいる少年、それが少年じゃなくなっていったんだ。どんどんとしをとりはじめたんだよ。背も高くなってゆくし、筋肉もたくましくなる。みるみる、おとなっぽい顔になってゆく。その顔にみとれていて気がつかなかったけど、ちょっと目を下に移したら、服のほうも変ってしまっていた。スポーツ服の姿から、いつのまにか背広になっている。そして、三十歳ぐらいになった時、その変化がとまった。また声がしてくる。

「さあ、三つかぞえると、あなたは目がさめます。さめると、とても気持ちがいい。いままでのことは、すべて忘れてしまいます……」

それを耳にして、ぼくは思った。前になにかで読んだことのある文句だ。催眠術なんだよ。催眠術からさます時の文句なんだ。そういうわけだったのか。ぼくはうなずいた。だけど、ここの世界はどうなってしまうんだろう。夢の国ではなく、催眠術で一時的に作りあげられた幻覚の世界なんだ。声は「いままでのことは、すべて忘れてしまう」なんて言っていた。そうなると、ここも消えてしまうのだろうか。

「はい。ひとつ、ふたつ、みっつ……」

声が言った。ぼくは目をつぶった。ここがどうなるのかわからない不安で、思わず目をつぶってしまったんだよ。

まぶたの裏に光景がうつった。病院か研究室、それに心理学の先生でも見えるのかなと思っていたが、そうじゃなかった。椅子《いす》にかけて並んでいる、かなり大ぜいの人が見えた。劇場みたいなところらしい。みんなこっちを見ている。どの人も驚きにあふれた目つきだった。

拍手の音が押しよせてくる。音楽のメロディーがわきあがり、興奮を高めるような短い演奏をした。そばには催眠術師がいた。ひげをはやし、えんび服を着て、頭にターバンを巻いていた。べつにインド人じゃないんだけど、ターバンをしてたほうが神秘的にみえていいんだろうな。そんなことから、これがショーだとぼくにもわかってきた。この本人はお客のなかから舞台に呼びあげられ、術をかけられたらしかった。

催眠術師がこっちをむいて説明していた。

「あなたは、さかだちがお上手ですねえ。わたしはあなたに術をかけて、少年時代にさかのぼらせたのです。そこに花が咲いています、つみとってにおいをかぎなさいと命じた。その次には、さかだちをやるように言った。また、目の前にいやなやつがいます、やっつけなさい、あなたは強いから決して負けませんと暗示をかけた……」

ぼくは、ははあと思った。その相手にされてしまったんだな。あの時、なぐられる役の少年が、ぼくのうしろに出現していたのかもしれない。だが、運の悪いことにぼくがやられてしまったんだ。催眠術師はつづけてしゃべっていた。

「……あなたはそいつをやっつけ、助けおこし、握手をした。それから、いまの年齢に戻って目がさめたのです。ご自分のなさったことを、おぼえておいでですか……」

「いいえ、すこしも……」

客席のほうでは、拍手とともに笑い声がおこっていた。きっとこの人、さっき暗示をかけられ、子供っぽい動作で舞台の上でさかだちをしたり、なぐりあう動作などをやったのだろうな。それを本人は、ぜんぜんおぼえていないんだよ。

「そうでしょう。目ざめる前に、そのことはすべて忘れるようにと、わたしが言ったからです。だから、あなたがさっき訪れた少年時代に関することは、すっかり消えてしまっているはずなのです」

催眠術師がそう話しているのを聞き、ぼくは思った。さっきの世界は消えちゃっているのだな。それなら、ぼくはどこへ戻るのだろう。戻るところがなくなってしまったんだ。大変なことになった。と考えたのだが、すぐにべつなことを思いついた。帰るべき夢の国がなくなったということは、現実の世界に行く以外にないわけだ。

うまいことになったぞ。ばんざい。ぼくはうれしくなった。やっと、もとへ戻れるんだ。さまよいつづけてきたこの変な長い旅も、これで終わりとなるんだ。さあ、目をあけよう。そして、目をあけた……。

息がとまるような思いだった。現実の世界じゃなかったんだ。あまりのことに、ぼくは頭が一瞬ぼんやりとした。

そこは無の世界だった。なんにもないんだ。地面もない。下になんにもないばかりか、上にももちろんなんにもない。前やうしろ、右や左、どこにもなんにもないんだ。上下左右、どっちがそうなのかもきめようがない。遠くも近くもない。光もなければ、闇《やみ》もない。明るすぎもせず暗すぎもしないという感じなんだ。

そこに、ぼくのからだだけがただよっているんだよ。重力もない。無重力の宇宙にほうりだされたってところかな。でも、宇宙空間なら、太陽だの星だの星雲などを見ることができるだろう。しかし、ここにはそんなものもないんだ。星や星雲など、宇宙のなかにある物質をすべて光というエネルギーに変えて分散させ、平均してしまうとこんなになるんじゃないかなと、ぼくはふと思った。

宇宙空間を飛ぶ一人乗りの宇宙船の話などを読むと、すごくさびしいだろうなと想像しちゃうが、ここよりはまだいいはずだ。そこには星々があり、出発した星があり、めざすべき星もある。連想をひきおこしてくれる、なにかがある。

ここにはなんにもないんだ。色もなく、形もなく、音もなく、においもない。完全になんにもないんだ。生も死もないんだろう……。

ひと目みて、ぼくはすぐにまた目を閉じちゃった。いろんなことを考えてから目を閉じたような気もする。どれくらいの時間かはわからない。そこには変化も時間もなかったんだから。

ぼくは目を閉じて、思いきり叫んだ。

「こんなところはいやだよ……」

完全になんにもない世界だなんて、説明のしようもないぐらいいやなとこなんだ。大声で叫びつづけていると、まぶたの裏にうつる催眠術師が、こっちにむかって言った。

「いま、なにかおっしゃいましたか。ご気分はいかがです」

「なんだか、すごい耳鳴りがするんです。大きな声がどなりつづけているような。それに、心のどこかになにかがひっかかっているみたいなんですが……」

その答えを聞いて、催眠術師は首をかしげながら言った。

「そうですか。そんなはずはないんですけど、おかしいことですね。では、もう一回やりなおしてみましょう。現在に戻す、目をさまさせる時の経過を急ぎすぎたせいかもしれません。少年時代をもういちど訪れてみて下さい」

それから、術をかけてきた。さっき一回かけられているため、かかりやすくなっているのだろう。目の前で手を振られただけで、まぶたがゆっくりと閉じはじめた。つまり、ぼくにはなにも見えなくなったというわけ。

ぼくはしばらく目をあけなかった。あの無の世界をもう見たくないからだ。それから、こわごわ目をあけた。さっきの砂の世界がそこにあり、ぼくは立っていた。そばには男の人が立っている。背広姿の三十歳ぐらいの男の人だ。そして、まわりの霧のなかから声がしている。それが催眠術師の声であることは、いうまでもない。

「あなたは、わたしの声だけしか聞こえません。わたしの命令に従うのです。あなたは若くなります。だんだんに少年時代へと戻ってゆきます……」

それとともに、男の人はどんどん若くなってゆく。眺めていると、とても面白いんだ。だけど、そんな見物をしている時じゃないと、ぼくは気がつく。ぐずぐずしてはいられないぞ。早くなんとかしなければ……。

こうなったら、まわりをかこんでいる白い霧のなかへ入ってみよう。そこになにがあるかはわからないけど、あの無の世界よりはずっといいだろう。あの無の世界には、べつの夢の世界への出口さえないんだ。永久に帰れなくなってしまう。ぼくは砂の上をかけだした。

しかし、円形の砂の地面のはずれまでは行けたのだが、どうしてもそのそとへ出られない。白く濃い霧のようななかへは入れないんだ。目には見えないなにかがそこにあって、進むことができない。磁石の同じ極を近づけた時のように、なにかの力ではねかえされてしまう。ここは催眠術によって作られた、かりの場所だからなんだろうな。化学実験をやる試験管みたいなことなんだろうな。催眠術で少年時代にしたはいいが、その世界で本人がどこかへ行ってしまったら、大変なことになる。そんなことの起らないように、こうなっているのかもしれない。

ぼくはふりむいた。男の人は少年になっていた。声はどこからともなく聞こえてきていて、少年になってから、またとしをとりはじめていた。急がなければならない。このままだと、やがてあの人が目をさまさせられ、ぼくはまた無の世界にとり残されてしまう。もしかしたら、永久に……。

早くどこかへ移らなければ。どんな人の、どんな夢の世界でもいいんだ。しかし、ドアもなければ箱もない。この世界で身をかくすには、どうしたらいいんだろう。ぼくはきょろきょろ見まわした。しかし、砂のほかにはなんにもないんだ。

ちらっと見ると、少年は二十歳ぐらいになっている。もう、ほとんど時間がないんだ。ぎりぎりになったその時、ぼくは思いついた。砂に穴を掘りはじめたのだ。砂のなかにかくれることで、この空間から消えることができるのじゃないかと……。

両手を使って、どんどん掘った。乾いたさらさらした砂。ぼくは必死でそれをやった。やっと、なんとか細長いくぼみが掘れた。ぼくはそこに横たわり、足のほうから、自分で上に砂をかけていった。おなかのへんも埋まり、胸も埋まった。ぼくは大きく息を吸いこみ、息をとめ、目をつぶって顔の上にも砂をかけた。それから、手も砂のなかにもぐらせる。これで、なんとかなってくれればいいんだが……。

8
道

息が苦しくなってきたけど、ぼくはがまんしていた。顔をしかめ、気が遠くなりかけるほどがまんしていた。しかし、なんだか変じゃないか。

ほかの夢の世界に移れたのなら、すぐに砂が消えていいはずだ。移れてないのだろうか。しかし、それだったら、また無の空間にほうり出され、砂が消えてしまっていいはずだ。それなのに、砂はまだからだのまわりにある。どういうことなのだろう。

これ以上は息をとめていられないので、ぼくは砂をはねのけ、顔を出して大きく息をする。あの無の世界でもないようだし、さっきの円形の砂だけの世界でもないようだ。だが、ぼくはまず息をするのにいそがしく、深呼吸をくりかえしながら、自分のからだを砂から掘り出した。

まわりを見まわしたのは、それからだよ。べつの夢の世界に移れたようだ。つみあげたみたいな砂の山から、ぼくはそとへ現れた。すぐそばには、カナヅチとか大きなハンマーとか、何本ものヤスリとかノミとか、そんな道具がころがっていた。なにかの工事をしている場所かなと思っちゃった。でも、そうではなかったんだ。

すこし離れたところに、としとった男の人がいた。髪の毛は白くなっており、顔のしわは多く、手は骨ばっていた。茶色っぽい簡単な作業服みたいのを着ていて、地面にすわりこんで静かになにかをやっていた。

ぼくは立ちあがり、からだの砂をはらい、おじいさんのそばへ行ってみた。背中をまるめ、カナヅチでなにかをたたいている。ゆっくりと注意ぶかく、なにかを作っているんだ。ぼくはのぞきこんでみた。ノミを使って小さな石をきざんでいる。おじいさんが手を休めた時をみはからって、ぼくは声をかけた。

「おじいさん、こんにちは。なにを作っているのですか」

おじいさんはふりむき、ぼくをしばらく見つめてから言った。

「石をきざんでいるんだよ」

「なにを作るつもりなのですか」

「その説明をしたら、長いお話になってしまう。それに、おまえのような子供にはわからないことだろうな」

ぼくは、そう子供あつかいしないで下さいよと言いたかったけど、このようなおじいさんから見たら、そう言われてもしかたないだろうなと思った。

おじいさんはまた、だまって仕事にとりかかる。ぼくは話しかけるのをやめ、あたりを見まわした。広々としたところで、短い草がまばらにはえている。ずっと遠くまで平地なので、どの方角も地平線まで眺めることができた。

そして、ここのそばを一本の道がとおっている。自動車の道じゃなくて、歩く道。あまり広くはないけど、石だたみっていうのか、平たい石を敷きつめてあり、歩きよさそうな道なんだ。

その道はずっとむこうの地平線の一点からここへまっすぐにむかってきて、このそばを通り、反対の方角の地平線にまっすぐにのびている。一直線の長い長い道なのだ。

そこを、いろんな人が歩いている。大ぜいの人が、一つの方向にむかって歩いているんだ。男の人もあり、女の人もあり、としとった人もあるし、若い人もある。ひとりの人もあるし、連れだって歩いている人もある。急ぎ足の人もあり、ゆっくりの人もある。だから、のろのろ歩く人が追い越されることはあるけど、すれちがう人はいないんだ。みんな道の上を、同じ方向に歩いているからなのさ。この広々としたところを流れている、人間の小川とでもいった感じだった。地平線から地平線まで、人の行列が流れている。

どういうことなんだろう。考えてもわからなかった。おじいさんのやっていることも、意味ありげだ。そこでぼくは、おじいさんにまた話しかけてみることにした。

「ねえ、おじいさん。お話ししてくれませんか。ぼくは夢のそとからこんなところへ入ってきてしまったんです。だから、知りたくてならないんです。お話しして下さい。わかるかもしれません。いつごろから、ここでお仕事をなさっているのですか」

おじいさんは手を休め、ノミをそばにおき、ぼくのほうをむいてすわりなおし、話しはじめた。

「じゃあ、ゆっくり聞いておくれ。これをはじめたのは、ずっと若いころからさ。そう、坊やよりもう少し大きいぐらいのころからかな。そうそう、そのころにこの道を通りかかった絵かきさんがあってね、わたしを描いてくれたことがあった。それを見せてあげよう」

おじいさんはそばの古ぼけたカバンのなかから、それを出して見せてくれた。紙に描かれた絵で、古くなっていた。ぼくはそれをのぞきこむ。とても大きな岩が描かれていて、その上に少年がのって、ノミとハンマーを持っていた。この大きな岩にたちむかい、なにかの彫刻にとりかかろうとしている姿だった。希望にみち、元気があふれている。その少年の顔とこのおじいさんとは、どこかしら似ていた。ぼくは言った。

「おじいさんの子供のころなんですね」

「そうだよ」

「なにかを作ろうとしているとこなんですね」

「そうなんだよ。これは大理石。わたしに与えられたものなんだ。わたしはこの大きな大理石に、理想的な世界を彫刻しようと思いたった。あらゆることがらをもれなく刻みこみ、それらがすべて理想的に組みあわさったもの。そういうすばらしいものを作りあげてみようと思ったんだよ。やりがいがある仕事じゃないかね」

「ぼくにもわかるような気がしますよ。すてきなお仕事です。ぼくだって、やってみたいと思います」

「そうだろうね。わたしもそうだったのだよ。できるような気がしたよ。きっとできる、作ってみせる。そして、この道を通ってゆく人たちを、あっと感心させてやるんだと……」

「それを作ったのですね。作ったそれは、どうなさったのですか」

ぼくは知りたかった。その絵があるのなら、見せてもらいたかった。ぼくはからだを乗り出したが、おじいさんはカバンにも手をのばさず、首をふりながら言った。

「できなかったんだよ。どうにもうまくいかなかったんだね。若くて元気だったし、体力もあった。しかし、知識がともなわなかったんだよ。そこで、勉強をした。ずいぶん熱心に勉強をしたよ。これを作りあげるという目的があるので、勉強もつらいことはなかった。勉強をするにつれ、いい思いつきも出てくる……」

「出てきた思いつきは、どうなさったんですか」

「みんなとりいれたよ。理想の世界の彫刻を作るんだから、わたしの気のすむようにしなければならない。ひとつの新しい思いつきは全体に関係してくる。そこで、なにか思いつくと、ぜんぶ最初からやりなおした。それまで岩の表面に刻みこんだものを、みんな削りとって、彫刻しなおしたんだ。しかし、やりなおすのも苦しくはなかった。めんどくさいなどとは考えなかった。人生は長いんだし、元気もあったし、体力だってあった」

「そうでしょうね」

と、ぼくはうなずいた。おじいさんは話しつづける。

「作りなおしは、一回や二回じゃなかったよ。何度も何度もだ。わたしがそれをやっているあいだにも、そこの道をいろいろな人が通っていったよ。むこうのほうから歩いてきて、こっちのほうへ歩いてゆく。ここで足をとめて、わたしのやってることを見物する人もいた。見物するだけじゃなく、いろんなことを言ったりもした。ほめててくれる人もあり、ほめてくれる人もあり、けなす人もあり、からかう人もある。ほんとに、いろんなことを言われたな。ちらっと見て笑いながら通りすぎる人もあり、そんなことはやめたほうがいいと忠告してゆく人もあった。また、ここはこうしたらいいんじゃないかと、意見を言ってくれる人もあった。それがわたしの考えとちがっていて、長い議論になったりすることもあった」

「それでもつづけたんですね」

「そうだよ。議論のあげく、その意見が正しいと思ったら、わたしはそれをとりいれて作りなおした。何度も何度も作りなおした。ひとの意見を参考にし、目的に役立てるのはいいことだ。作りなおすたびに、石はいくらか小さくなってゆくが、できはよくなってゆくようだった。よくはなってくるんだが、これで満足できるという気分には、なかなかなれない。その反対というべきだった。一応できあがった形と、心のなかで思っているものとのずれ。それをはっきり感じてしまうんだよ。できあがったとたんに、大きな欠点に気づいたりもする。がっかりしたり悲しくなったりしたものだよ。しかし、こんな話、坊やにはつまんないんじゃないかい」

ぼくはもっと先を聞きたかったので、首を振って言った。

「そんなこと、ありません。それからどうなさったのですか」

「そのうち、これは自分の手におえないことじゃないかと考えはじめたんだ。それをやるだけの才能が、自分にはないのではないかとね。理想的な社会だなんて、問題があまりにも大きすぎる。つづけようか、やめようか。いろいろ悩んだあげく、わたしは作るのをあきらめてしまったんだ」

「力がつきてしまったのですか」

「そんなことはないさ。わたしはまだ青年時代だった。依然として元気もあった。べつなものを作ろうと思ったのさ。こんどは女の人の像を彫刻しようとした。これならわたしの手におえそうだと思った」

おじいさんはむかしを思い出すような目つきになり、まじめな顔でちょっと笑った。ぼくは聞いた。

「それはできたんですか」

「わたしは作りはじめた。それまでに岩の表面に刻んだものをみんな削り、とりかかったのだ。こんどこそ完成させるぞといういきごみだった。そばの道を大ぜいが通るだろう。そのなかの、きれいな女の人を呼びとめ、顔をスケッチさせてもらい、それを参考にしたりした。削ったり刻んだり、何回もやりなおす。通る人が足をとめ、また意見を言ったりした。うまくできかけた時もあったが、途中でわたしの好みが変ったりしてね、なかなか完成しないんだ。理想の社会を彫刻しようとした時と、おんなじことだったよ。ある年月がたち、わたしはあきらめ、やめてしまったのだ」

「残念だったでしょうね」

「そんなことはないさ。女の人の像を作るのがだめだとしても、ほかに作るものはいろいろある。また、ずっと彫刻をしつづけだったので、わたしの技術は上達している。わたしはしばらく休み、こんどはどんなのを作ろうかと考え、そして、きめたんだよ」

「なにを作ろうと考えたのですか」

ぼくは聞き、おじいさんは説明した。

「竜の彫刻を作ろうと思ったのだ。神話に出てくるあれだよ。勢いよく空をめざしているやつ、天へかけのぼるやつをだ。そこの道を通る人たちがだれも足をとめ、目をみはり、うらやましがるようなのをね。道のはてまで話題にされるような竜を作ろう。わたしの技術のありったけをつぎこもう。熱心にはげんだものだ。ほとんど完成寸前という感じのところまでいったこともあったよ。だけど、いい気になってしまったんだね。手がすべって、竜のひげを折っちゃったんだ。ひげがなしじゃあ、おかしいだろう。ひとまわり小さくてもいいから、完全なものを作りなおしてやろうと、またやりなおしさ……」

「それもだめだったのですか」

ぼくは聞いた。だが、おじいさんの答えは予想とちがっていた。

「できたんだ。みごとな竜だよ。どこから眺めても、すばらしいできばえだった。われながら、とくいだった」

「その竜の彫刻はどうしたんですか」

「それにもかかわらず、道を通る人はあまり感心してくれないんだ。やがて、その原因に気がつく。最初はあんなに大きかった岩も、何回も何回も作りなおすうちに、だいぶ小さくなってしまったんだ。つまり、その竜の彫刻は小さかったんだね。ものには、ふさわしい大きさというものがある。わたしは彫刻することに熱中して、大きさのことを忘れていた。石がもっと大きいうちに、この竜が完成していればよかったのだ。わたしは後悔した。人生とはうまくいかないものだと、心から後悔したよ」

「残念だったでしょうね」

ぼくが言うと、おじいさんは息をついた。

「ああ、もちろんだよ。なんだか、急にとしをとったような気になった。竜はあきらめなければならなかった。べつなものを作るため、せっかく作った竜をこわす時は、惜しくてならなかった。つぎになにを作りはじめたのか、知りたいだろうね。わたし自身の像を作りはじめたのだよ。鏡をそばにおき、そこにうつる自分を見ながら彫刻していった。ゆっくりと作ってゆくつもりだった。若かった時のように、ひとをあっと言わせようとも思わなくなった。自分で満足できるものであれば、それでいいんだ。小さくてもいい。作りあげてここへおいておけば、わたしという人間がここにいたということが、あとに残せるというわけだろう」

「そうですよ。ほんとにいい考えですね」

「わたしはそれをつづけた。そのあいだにも、いろんな人がそこの道を通りすぎていったよ。さまざまな言葉をわたしにかけ、むこうへと歩いていったのだよ」

ぼくは道を眺めた。あいかわらず人びとが歩いている。ぼくはちょっとべつなことを質問した。

「お仕事をやめて、その道を歩いて行こうと思ったことはなかったのですか」

「そうは思わなかったね。わたしには、ここでやらなければならないことがあった。つまり、彫刻を完成させるという仕事のことだよ。また、道を歩いてどこかへ行くということは、だれかに会うためだろう。それなら、ここにいて通りがかる人と会うのも同じことだろうと考えていたからさ。仕事をしているからこそ、ここで人と会える。話しかけてもくれる。歩きだしたら、かえってそれができなくなってしまう」

「そういうものかもしれませんね……」

「さて、わたしの彫刻の話をつづけよう。もうすぐおしまいだよ。みんな聞いてしまっておくれ。自分の像を作るのも、むずかしいものだった。理想の世界、女の人、竜、そんなものよりずっとむずかしいもののようだ。しかし、理想的な自分の像は、できないこともなかった」

「やっと、長いあいだの苦心がみのったというわけですね」

「いや、そうもいえないんだ。若かったころに作ったもの、たとえば女の人の像だがね、できたのはわたしの頭にある理想的なものにくらべて、どうしても劣っていた。このずれについてはさっき話したね。しかし、こんどはその反対、できあがった理想的な自分の像が、現実の自分に似ていないんだ。現実の自分のほうが劣っていて、そのずれが気になってならない。自分の顔のほうを作り変えたいが、そうもいかないし、しようがないんだ。この解決法を考えているうちに、自分の顔のしわがふえたりもしたよ。何回も作りなおしをし、石はさらに小さくなっていった。最初はあんなに大きかったのにね。そこの砂の山が、これまでにたまった削りくずだ。坊やがなかから出てきたところだよ」

ぼくはあらためて、砂の山を見なおした。ただの砂じゃなかったんだな。おじいさんがそんなふうに大理石を削りつづけることでできた砂だったんだなあ。

「そうだったんですか。ぼく、ちっとも気がつかなかった」

「知らなくていいことさ。わたしにとっては意味のある砂だが、ほかの人にとってはただの砂にすぎない。そんなふうにして、砂の山が大きくなるとともに、わたしもとしをとってしまった。あいかわらず、いろんな人が通っている。しかし、もう足をとめてくれる人は少なくなってしまったし、声をかけてくれる人もめったにない。もう石の残りがこんなに小さくなってしまったので、彫刻をしていることに気がつかないんだろう。のぞきこむ人があっても、作っているものが人目をひくようなものじゃないしね」

おじいさんは、石を見つめた。ぼくも見つめた。わけのわからない、つまらない形をしたものだった。いろいろ苦心したあげくに作っているものとしては、平凡すぎるように思えてならなかった。こんなことを質問するのは失礼かと思ったけど、ぼくは聞いた。

「それ、なんなのですか」

おじいさんはたのしそうに言う。

「なんだと思うね」

「わかんないなあ。ぜんぜんわかりません。教えて下さい」

平べったい面がひとつあるが、そのほかはどんなものにも似ていない。美しさもない。なにを示しているかもわからないんだ。おじいさんは道の一カ所を指さした。

「そこの道の石だたみに、小さな穴があいているだろう。いつごろからあいてたのだろうか。わたしの少年のころからかもしれない。そこでけつまずく人もいたんだよ。これを、その穴にぴたりとはまるように仕上げようと彫刻しているのさ」

その話を聞いて、ぼくはおじいさんが、なんだか気の毒になってしまった。最後に作りあげるのが、そんなつまらないものだなんて。

「どうして、そんなのを作る気になってしまったのですか。もっとすごいものを作ればいいのに」

だが、おじいさんはそう残念がってもいなかった。

「いいんだよ、これで。そこの道をいろんな人が、わたしに声をかけて歩いていった。声をかけてくれなかった人も、わたしの姿を目にとめていってくれたんだ。その人たちがいたからこそ、わたしはきょうまで熱心に石ととりくんでこられた。あっと声をあげさせ、目を丸くさせるようなものは、とうとうできなかったけれどもね。いまになって考えると、それらがありがたいことに思えてきた。いまとなってはお礼もできない。しかし、この道はこれからも多くの人が通ってゆくことだろう。その人たちの役には立つじゃないか。ころぶ人もなくなる……」

「そういうものなんでしょうか。おじいさんは、それでいいの」

「そうだよ。みんながみんな偉大なことを完成するとは限らない。完成できたほうがいいにはきまっているが、できない人だってあるんだ。わたしは失敗に終わってしまった。しかし、完成を心にえがきながら、ずっと楽しく生きてきたよ。楽しく生きてきたような気がするだけかもしれないがね。これでいいのだろう。もうすぐできあがるこの石で、道のあの穴をうめることができたら、きっと心に満足感がわいてくると思うんだよ」

「それをやったあとはどうするの」

「立ちあがって、この道をみんなといっしょに歩いて行こうと思っている。歩いて行けば、道ばたでなにかをやっている人を見かけるかもしれない。そうしたら、今度はわたしが話しかけるとするかな。長いお話をしてしまったね。しないほうがよかったような気もするよ。坊やには、なんのことだかわからなかったろうなあ」

「半分ほどわかったような気持ちですよ」

「半分以上わからなかったと言いたいんじゃないかな」

おじいさんは笑い、ぼくは頭をかいた。

「ねえ、おじいさん。なにかからだをかくせるようなものは、ありませんか」

「とつぜん変なことを言いだすんだね。ここに大きな布があるよ。彫刻をしているうちに、ふいに作品がみっともなく思えた時、これをかぶせて他人の目にふれないようにしたものだ。これをかぶったら、かくれることはできるだろうが……」

おじいさんは古びたカバンのなかから、大きな布を出してくれた。

「さよなら、おじいさん」

ぼくはその布をかぶってみた。あたりが暗くなった。いまのおじいさん、現実の世界では、どんな生活をしてきた人だったのだろうかな。そんなことを考えているうちに……。

9 赤ちゃんたち

ぼくは背中にかたいものを感じた。それは岩だった。大きな岩にもたれているんだった。大きな岩というより、小さな岩山といったほうがいいかな。そんなふうな場所にぼくはいた。

ぼくの前のほうには草原がひろがっていた。ところどころに小高い丘がある。花が咲いているところもあったし、木がはえているところもある。その花や、草の葉や、木のかっこうなど、なんだか変だった。見なれない種類。どうとははっきり言えないけど、原始的なあらあらしい感じがするんだ。空はすみきっていて、ものすごく青かった。

やれやれ、またべつな夢の世界へ移っちゃったんだな。ぼくはがっかりした。限りなく夢から夢へと移り、そのくりかえしなんだ。きりがない。どうやっても脱出できそうにない。あの催眠術師の砂の世界の時には、これでうまく抜け出せるかなと喜ん

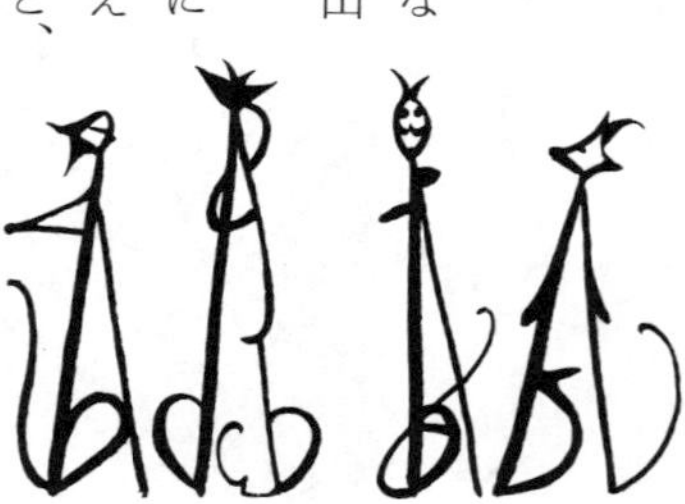

だけど、無の世界に入っちゃったりし、やっぱりだめだった。どうやっても帰れないのだろうか。がんばって努力してみる気も、ぼくにはなくなってしまった。どうやったらいいのかわからないんだから、努力のしようもないわけさ。

ひと眠りするかなあ。この夢の世界がどんな人のものなのか、それをのぞいてみよう。のぞいてみて、それがわかったところで、しようがないんだけどね。

まぶたの裏に光景が見えてきた。なんの飾りもない白い壁。白衣の看護婦さんが歩いていた。病院みたいだなと、ぼくは思った。

ベッドがたくさん並んでいたが、どれも小さなベッドだった。そのなかには、どれも赤ちゃんが横たわっていた。大声で泣いている赤ちゃんもあり、眠っているのもある。ここは病院らしかった。そこの、うまれたての赤ちゃんばかりのいる部屋なんだ。

ここで働いている看護婦さんかお医者さんの夢の世界なんだろうなと、ぼくは考えた。前に鏡でもあれば、この夢の持ち主の人の顔を見ることができるのだけれど、そういったものはなかった。この人が眠り、夢の世界に目ざめるのを待ち、そこで会うほかはなさそうだった。病室を眺めていてもつまらないので、ぼくは目を開いた。

また草原の世界に戻る。それにしても、変な夢の国だなあ。こんな夢の国で、いつもなにをしているのだろう。猛獣狩りをやるのなら、アフリカの草原のような場所のほうがいいんじゃないかな。といって、西部劇ごっこをやるような感じの草原でもないんだ。この夢の持ち主、どうしてこんな世界を作ってしまったのだろう。こんな世界で、おもしろいことができるんだろうか。

そんなことを考えていると、どこからともなく声がしてきた。泣き声なんだ。赤ちゃんの泣き声。しかも、大ぜいの赤ちゃんの泣き声なんだよ。ふしぎな気がした。現実の世界の赤ちゃんたちの泣き声が、ここまで聞こえてくるのかと思って。

なにが起ろうと、ぼくはもう、どうでもいいような気分だった。しかし、赤ちゃんの泣き声っていうのは、ほっとく気になれないものだね。そばへ行って、あやしてやらなくてはいけないような気にさせられてしまう。

だけど、赤ちゃんたちはどこで泣いているんだろう。声の感じから、そう遠くではないようだった。ぼくは立ちあがって、岩山のすそをまわり、いままでいた場所の裏側のほうへと歩いていった。

信じられないような光景がそこにあった。岩山の下のほうに、たくさんの赤ちゃんたちがいた。みんな、はだかなんだ。二十人ぐらいだった。ひとかたまりになっているんだ。おとなはだれもいない。なぜこんなところに、赤ちゃんだけが集っているのだろう。ぼくにはわけがわからなかった。ぼくはしばらくのあいだ、立ちどまってぼんやりしちゃった。

でも、この赤ちゃんたち、なんで泣き出したのだろう。ぼくを見てこわがって泣きはじめたのだろうか。いや、ぼくが来る前から泣いていたんだっけ。赤ちゃんたちは、ぼくのほうをじゃなく、べつな方角を見つめている。そして泣いているんだ。ぼくは、そっちのほうに目をやった。

そこにもまた、びっくりするものがあった。百メートルぐらいむこうの草原の上を、大きな恐竜が歩いているんだ。ブロントザウルスとかいう名前のやつじゃないかな。首が細く長く、からだは小さな山といえるほど大きく、しっぽのほうがまた細く長くなっている。ぜんぶで三十メートルはあるんじゃないかな。みどりと茶色のまざったような色。右のほうから左にむかって、太い足でゆっくりと歩いてゆく。堂々としていて、みごとな眺めだった。

ぼくは見とれてしまったが、赤ちゃんたちはそれを見て泣いているんだ。あんまり大きいので、びっくりしてこわがっているのかもしれない。ぼくはなだめてやろうとしたけど、うまくいかなかった。ひとりを抱きあげたが、泣きやんではくれなかった。かりにひとりが泣きやんだとしても、ほかに泣いてるのはたくさんいるし、手のつけようがないんだ。赤ちゃんだけが、なぜここにほっぽらかしにされているんだろう。どうしておとながいないんだろう。

そんなことをしているうちに、ぼくはふと考えたんだ。これは病院の看護婦さんの夢でも、お医者さんの夢でもないんだってことを。さっき、まぶたの裏にうつって見えた病院の光景は、看護婦さんの目を通してでなく、赤ちゃんのひとりの目を通して見えたものだったのじゃないかな。

うまれたての赤ちゃんの見ている夢なんだ、これは。ふつうの人の夢の世界は、その当人の生活や体験がつみ重ねられ、そのなかから、それぞれ特色をもったものが形づくられてくる。そのへんが少しふしぎだった。赤ちゃんには生活や体験など、まだなんにもないんだものね。これは本当に赤ちゃんの夢の世界なんだろうか。赤ちゃんが夢を見るとしたら、どんなのを見るんだろう。こんなふうなのをだろうか……。

その疑問をいっしょうけんめい考えているうちに、やっぱりこれがそうなのだろうとぼくは思った。赤ちゃんはうまれたばかりで、世の中の生活を経験していない。だから、夢を見ると、そのずっとむかしの夢を見てしまうんじゃないかな。時代をさかのぼった、大むかしの人類の夢。いや、人類が出現する以前の世界の夢。生命の流れをさかのぼった、はるか遠い時代の夢を見るんだろうと思うな。それがこの光景なんだ。だけど、これはどの赤ちゃんの夢なんだろう。はるかな過去を夢に見るのだったら、ひとりで見ていいはずなのに。岩かげにいるたくさんの赤ちゃんたちを眺めて考えているうちに、こうじゃないかという仮定がぼくの頭に浮かんできた。

きっと、赤ちゃんたちはみんなでいっしょに、この同じ夢を見ているんだろうと。だって、そうなるじゃないか。だれもうまれたてで、同じ条件なんだから、その見る夢もおんなじというわけなんだ。ひとつの夢をなかよく見ているんだよ。そして、それぞれが大きくなり、ちがった体験を重ねるにつれて、ちがった夢へと変化してゆく。そういうことなんじゃないかな。

恐竜のいたほうを見ると、もうどこかへ歩いていってしまったあとだった。そのせいか、赤ちゃんたちは泣きやみ、おとなしくなっていた。

こんどは、マンモスのむれが列をなしてむこうの草原を横ぎっていった。ゾウよりも毛ぶかく、まっ白なキバが長く丸まったようにのび、日の光に輝いていた。のそのそと歩いている。どれもやさしい目つきをしていた。赤ちゃんたちは、こんどは泣きもせず、目をみはって眺めている。こういうふうにして驚異の感情をおぼえるんだな。

ぼくはそう想像した。赤ちゃんたちはさっき恐竜を見て、こわがったり泣いたりすることを練習し、おぼえた。赤ちゃんが眠りながら泣いてることがあるけど、そんな時にはこんな夢を見ているというわけなんだな。

草原のむこうの遠くのほうでは、火山が噴火していた。風むきが変ったせいか、こっちのほうにもこまかい灰が降ってきた。赤ちゃんたちは、いやな顔をし、手を顔の前で動かしていた。うまれてからしばらくのあいだ、こんな夢を毎日のように見ているんだろうな。まわりのおとなは気がつかないでいるけど……。

赤ちゃんたちが、いっせいに笑いだした。どこからあらわれたのか、リスのような小さな動物たちが近くまでやってきて、遊んでいるのだ。リスの家族なのだろう。五匹ほどがふざけあっている。なごやかな光景。眺めている赤ちゃんたちも、ほんとに楽しそうな表情になっていた。楽しい気分というものを、これでおぼえているんだろう。ぼくも楽しくなり、赤ちゃんたちといっしょに笑ってしまった。

大むかしの地球からつづいている生命の流れ、そういったものがぐっと胸に感じられる。理屈ではなく、事実で迫ってくるんだ。なにもおぼえてはいないけど、ぼくもうまれたてのころは、こんな夢の国にいたんだ。そうにちがいないという気がした。そこで、泣いたり笑ったり、いやな顔をしたり驚異の目をみはったり、練習をくりかえし、そんなことをおぼえたにちがいない。そうじゃなかったら、そういうことをどこで身につけたんだ。ほかに考えられないよ。

遊んでいたリスたちが逃げていった。なんで逃げていったのかと思ったら、すごいのが現れたからだった。大きな大きなワニがむこうにいる。長さが十五メートルぐらいもある。恐竜やマンモスのように通りすぎて行くだけかと思っていたら、そうじゃなかった。こっちへむかってくるんだよ。赤ちゃんたちは、また大声で泣き叫びはじめた。

どうなるんだろう。どうしよう。ぼくは立ったまま腕を組んでワニを眺めた。ぞっとするようなワニで、大きな口が開くと鋭い歯の並んでいるのが見える。ほっといたら、赤ちゃんたちはやられちゃうんだろうか。ぼくはあんまり心配しなかった。ここは夢の世界なんだ。赤ちゃんが食べられ、死んでしまうなんてこと、あるわけがない。

ぼくは赤ちゃんたちのほうを見た。安心してていいんだよと、身ぶりで教えてあげようと思ったんだ。しかし、そうもいかない感じになってしまった。赤ちゃんたちが、みんなぼくを見つめているんだ。助けて下さい、たよりになるのはあなただけです、と呼びかけているような目つきなんだ。そうだろうなあ。赤ちゃんたちがたよる人間といったら、この近くには、ぼく以外にいないいんだものね。

困ってしまった。ぼくは子供なんだ、なんて言ってはいられない。赤ちゃんたちから見れば、ぼくは立派なおとななんだから。

このまま逃げてしまおうかなと、ちょっと考えた。逃げようとすれば、ぼくは逃げられるだろう。そして、なにかのなかに入れば、またべつな夢の世界に移ることだってできるのだ。

しかし、逃げたりしちゃいけないとの声が、ぼくの心のなかでしていた。ぼくがここで逃げたりしたら、赤ちゃんたちは、そういうものかと思ってしまうだろう。赤ちゃんたち、目がさめればこのことを忘れるだろうし、どうってこともないかもしれない。しかし、赤ちゃんたちの心に、なにかが残るかもしれないんだ。自分たちよりしうえの人がそばにいたのに、みんなをみすてて、まっさきに逃げていったと、心のどこかに残るんじゃないだろうか。

そんなことが心にきざみつけられたら、赤ちゃんが大きくなってから、よくないことになるだろうな。おとなとはそういうものだと思ってしまうだろうし、自分がおとなになってからは、いざという時に、ひとを見捨てて逃げてしまうかもしれない。そうなったら、ぼくの責任でもあるんだ。

ぼくがこの場面にいあわせなかったのなら、話はべつさ。赤ちゃんたちは、ワニってこわいものだと感じ、こわがることをおぼえるだけだろう。しかし、ぼくはここにいる。この場面にいあわせて逃げたとなると、これはいけないんだ。

あとから来るものをかばい、助けてやる。そのつみ重ねで人類はいままで進んできた。その歩調を乱してむちゃくちゃにしたら、リスにも劣ることになってしまう。さっきからの、生命の流れをじかに感じている気分が、ぼくにそんな決心をさせたのかもしれない。ここへ来る前の夢の世界にいたおじいさんの、あとの人のために道の穴をなおすという話を、ちょっと思い出したせいかもしれない。

いや、ほんとのところはね、ぼくはやけくそになっていたのさ。どうやってみても、現実の世界の自分の家に帰れそうもない。べつな夢へ、べつな夢へと、限りなく移りつづけるだけなんだ。きりがない。あの無の世界もいやだったが、無限のくりかえしっていうのも、考えるとうんざりするものなんだ。どうせそうなら、ここで終わりにしてしまえというのが、ぼくの心にあったのだろうな。

よし。ここで赤ちゃんたちのために戦ってやるぞ。

「ぼくがやっつけてあげるからね」

赤ちゃんたちにむかって、ぼくは言った。言葉はわからないんだろうけど、赤ちゃんたち、とてもうれしそうな顔をしていた。

ワニはずいぶん近くまで来ていた。ぼくは地面にころがっている石ころをひろい、ワニにぶつけてみた。何度もぶつけた。それでもワニはこっちへやってくるのをやめない。ものすごく大きなワニなので、それぐらいじゃびくともしないんだ。

このままじゃ、だめだ。そうぼくは思った。ワニを撃退できそうにない。それなら、ワニを赤ちゃんたちのほうに行かせないよう、べつな方角におびきよせよう。

ぼくはワニに石をぶつけながら、横のほうにかけだした。作戦どおり、ワニはぼくを追いかけてくる。石が当り、ワニは怒ったのだろう。ぼくを追いかけるワニがだんだん早くなる。ふりむくたびに近くなるんだ。そばで見ると、すごく大きな口だ。

ぼくはかけつづけたが、ワニも追うのをやめない。べつな夢の世界に逃げようにも、身をかくすところもない。かくれるための穴を掘っているひまなど、もちろんない。くたびれてくる。走るのはおそくなり、気が遠くなりかけた。からだが倒れそうになる。

「あ……」

と、ぼくは言った。赤ちゃんたちに呼びかけようとしたんだが、そのさきは言えなかった。ぼくのからだが倒れかかったところには、大きく開かれたワニの口があったんだ。ワニに食べられてしまう。ワニの口はふさがり……。

10　そして

ぼくは必死でもがいた。もがきながら気がつくと、なにかやわらかいものの上に横になっている。そのことで、ワニに食い殺されたのじゃないのを知った。またべつな夢の世界に移ってしまったんだな。あたりは明るい。ぼくは大声で叫んでみた。

「おーい、だれかいませんか。ここの夢の国の主人公はだれなんですか」

死んだのでなくてほっとしたが、どうせ夢の世界から出られっこないんだ。ぼくはずうずうしくなっていた。夢の国の主人公を呼びつけてやろうという気になったんだ。どんなことがおころうが、もう平気さ。

だけど、そうじゃなかった。なにが起ろうと驚かないつもりだったが、やっぱり驚いてしまった。ぼくの叫び声を聞きつけ、そばへやってきた女の人がこう言ったんだ。

「あら、どうしたの、変なこと叫んで。ねぼけたんでしょ」

それはぼくのママだったのさ。それでも、ぼくは聞いてみた。

「ここはどこなの」

「どこってことないでしょ。自分で見てごらんなさいよ」

ぼくは身をおこし、まわりを見まわした。ぼくの家の、ぼくの部屋の、ぼくの寝床のなかだった。

「ほんとだ、ぼくの家だ」

そう言いながらも、すぐには信じられなかった。ぼくは寝床のなかで、また目をつぶった。まぶたの裏にはなんの光景もうつらない。ぼくは目をつぶったまま考えた。ここがほかの人の夢の世界でなく、現実の世界なら、ぼくしか知らないはずの印があるはずだ。たとえば、天井の一カ所についているよごれ。いつだったか、よごれたまのボールをほうりあげたら、天井にぶつかってそのあとが残ってしまった。ぼく以外のだれも知らないことだ。それがあれば……。

目を開く。それはちゃんとあった。ここは、たしかに現実の世界なんだ。もどれたんだ。

だけど、生きるべき世界にもどれたとわかり、うれしかった。

なぜ帰れたんだろう。ワニに食べられ夢の世界で死んだからだろうか。赤ちゃんたちのために戦うという、いいことをしたからだろうか。そのどちらでもないんだろうな。ぼくをだまして夢の世界のなかに押しこんでしまった、もうひとりのぼく。そいつが、そろそろ夢の世界へ帰りたいと思い、そうしたからじゃないのかな。考えてみたって、結論の出ることじゃない。だれにもわからないにきまっている。

ぼくはママに聞いた。

「きょうは何日なの」

「あら、熱がさがり、かぜがなおったようだと思ったら、妙なことを言い出すのね……」

ママは首をかしげながら教えてくれた。頭のなかで計算すると、あれから四日がたっていた。ぼくが夢の国をさまよっているあいだに、ここではどんなことが起っていたんだろう。いまのママの言葉だと、この現実の世界にいたほうのぼくは、かぜをひいて熱を出し、ずっと寝床にいたみたいだ。ママはさらに言った。

「このあいだ学校から帰ってくるなり、熱があるって横になったじゃないの。お医者さんに来ていただいたら、たいしたことはなさそうです、三日ほど休み、熱がさがれば大丈夫でしょうとのことで、心配はしなかったわ。でも、いやにおとなしくねてたわね」

「うん、そうだったね」

ぼくはそう言った。あの、夢の国からこっちを見物にやってきた、もうひとりのぼく、生活の変化にあたふたし、驚いて熱でもだしたのかな。それとも、病気のふりをしたのだろうか。病気のふりをしていれば、まわりから怪しまれたりしないですむものね。変なことをやったりしないよう、おとなしくしていたんだろう。

そして、そばにだれもいない時に起きあがって、ぼくの机のなかをのぞいたり、そのへんの本を読んだりしたのかもしれない。パパやママが外出した留守には、テレビをつけたり、あるいは近所を散歩したりしたかもしれない。しかし、とんでもないことはしなかったようだ。あまりとっぴなことをやられていたら、そのあとしまつに、ぼくが困らされてしまうところだった。

ぼくはママに聞く。

「いま何時なの」

「朝の六時半よ」

「じゃあ、起きよう。学校へ行かなくちゃあ。もう、なにもかももとへ戻ったんだもの」

「戻ったなんて、なんのこと」

「なおったってことだよ」

ぼくはそう言っただけ。くわしく話したって信じてはもらえないし、話せば話すほど変に思われちゃうにきまっている。パパに、このあいだ夢のなかで、おじいさんに怒られたでしょなんて言っても、しょうがないんだ。パパがその夢をおぼえてはいないだろうし、おぼえていたらいたで、きみわるがられてしまうだろう。

学校へ行くため家を出た時、ぼくは玄関のドアをふとふりかえり、しばらく見つめた。色を消してしまったところを想像すると、ぼくが最初に夢の国へとびこんだドアにそっくりなんだ。あれはここだったのかなあ。ぼくがあの時に家へ帰り、熱を出し、ずっと幻覚を見ていたというのだろうか。そうもいえるな。そのほうが合理的な説明なんだろうな。

ぼくとしては、夢の国々をまわったことのほうを信じている。しかし、それを証明するものはなにもないんだ。その日、学校から帰ったぼくは、期待しながら日記帳をひらいてみた。もしかしたら、もうひとりのぼくが、そこになにかを書きこんでいるかと思ったんだ。「そちらの世界の生活は大変らしいね、がんばって下さい」なんて、ぼくへのあいさつでも書かれていたらおもしろいものね。だけど、なんにも書かれていなかった。

しかし、証拠がひとつもないわけじゃなかった。いや、それだって、ぼくにとっては証拠でも、ひとをうなずかせる役には立たないものだけれどね。

それから何日かたって、ぼくが近所の道を散歩している時だった。ある家に、どこかで見たような感じの大きな木があった。桐《きり》の木で、みどりの葉をつけている。なんでぼくが、こんな木に心をひかれたんだろう。

しばらく立ちどまって眺めていると、その家の窓があいたんだ。塀がそう高くなかったんで、窓から顔を出した少年を見ることができた。それで思い出したんだよ。ピロ王子なんだ。夢のなかではお城に住み、現実の世界では病気でねたきりの少年なんだ。ぼくはなつかしくなって、思わず笑いかけようとしちゃった。むこうもそうだったよ。手をあげかけ、それから、首をかしげて変な顔になっちゃったんだ。そうだろうな。夢のなかでしか会ったことのない人に、塀のむこうから笑いかけられたんだから、ふしぎな気持ちにもなっちゃうだろうな。

それだけで別れちゃった。くわしく話しあったりしないほうがいいんだ。あいつだって、自分の夢のなかにはいりこんだやつがいたと知ったら、いい感じはしないだろうしね。でも、あのピロ王子、元気そうだなあ。きっと病気の治療がうまくいったんだよ。

その散歩の帰りに、ぼくはあの遊園地に寄ってみた。ブランコにのってみる。ゆらゆら、ゆらゆら、ブランコはゆれる。ゆられながら、ぼくは考える。あの夢の世界はどこにあったんだろうと。夕やけ雲のむこうなのだろうか。それとも、このすぐそばなんだろうか。あのさまざまな夢の世界も、この現実の世界があればこそなんだ。ここが、ずっとぼくの生きてゆく世界なんだ……。

（この作品は「だれも知らない国で」を改題したものです）

解説
―変幻自在の星さん―

眉《まゆ》村《むら》 卓

自分の踏んでいる道の先達であり、生きて行く上で何らかの指標となる存在であり、かつ人間的にも尊敬出来る人――というのは、そうたくさんいるものではない。まして、その当人と親しく言葉をかわせる間柄になれるというのは、きわめて幸運であろう。ぼくにとっては星新一さんがそういう人であり、その意味でぼくは幸運であった。

星さんにはじめてお目にかかったのは、昭和三十六年のことだったと記憶している。

もちろん、それまでにぼくは、星新一という名は知っていた。旧「宝石」誌で江戸川乱歩氏によって紹介され、その後もあちこちの雑誌に発表される星作品のあらかたは読んでいたつもりだから、星新一というこのシャープできらびやかな名前を持つ作家がどんな人なのか、いろいろ想像をめぐらせていたものである。

そのころはまだSFが、SFなる単語では通用しなかった時代なので、星さんの作品もミステリーの一変型といった扱いを受けていたし、ぼく自身がまだSFについてほとんど知識はなかったのだが、ＳＦ的なものに強く惹《ひ》かれていたということであろう。やがてぼくは「ＳＦマガジン」につたない作品を投稿したのがきっかけで、柴野《しばの》拓美《たくみ》氏が編集人をしていた同人誌「宇宙塵《じん》」に入会し、「宇宙塵」の会合にあわせて上京した。そのときの会場が星邸だったわけである。

そこでぼくは仰天した。

おそらくは痩身《そうしん》の、金ぶちのめがねなどをかけた白皙《はくせき》の秀才タイプであろうと予測していた星さんは、実は堂々たる偉丈夫だったのだ。はじめてそんな会合に出て、星さんのすぐ近くにいることであがっていたぼくは、発作的にその自分の気持を口走ってしまった。

が、星さんは落着いて、にこにこしながら答えたのである。

「ラグビーの選手か何かみたいで、がっかりしたでしょう」

ぼくはへどもどし……あと、何をいったのか、よくおぼえていない。

それから以後、ぼくはときどき星さんと話し合う機会を得ることになった。年月と共にぼくがＳＦ作家の仲間入りをさせて貰《もら》うようになってからは、それがちょくちょくに変り、最近ではＳＦ作家の集まりや旅行、あるいはパーティの帰りというわけで、しばしばと形容したほうがいいようになっている。そしてアルコールでも入っているときなど、ふと思っているままを言葉に出したりして、あとで、目上の人にあんなことをいっていいものか、と、反省したのも、二度や三度ではない。が……考えてみればその間、ぼくは星さんに啓発されつづけではないかという気がするのである。

はじめて本を出したとき、ぼくは、推薦文を書いて貰ったお礼をいうため、編集者に連れられて星さんのお宅に伺った。折角だからそのへんで何か食べようといわれてごちそうになったのだが……ビールでいい機嫌になったぼくは、つい調子に乗って、これからはショートショートを書く人がたくさん出て来るでしょうね、ひょっとしたら星さんがショートショートの代名詞でなくなる時代が来るかも知れませんね、という意味のことをいってしまった。

その瞬間の星さんの目を、ぼくは決して忘れないだろう。たしかに、ぎらりと光ったのだ。けれどもそれは瞬時だけだった。星さんは表情も変えず、ふだんの口調で、

「それ位なら死んだほうがましですよ」

と、応じた。

その当時の、星さんについての有名なエピソードに、間違い電話がかかって来ると

星さんはいつも、こちらはSFを書いている星新一という者です、と返事をするという話があった。SFも星新一の名もあまり知られていないのだから、PRになるチャンスは逃がすことはない――というわけである。

そのエピソードや、現在迄《まで》の星さんの業績を考え合わせるたびに、ぼくは、星さんにそんな失言をしてしまったのを想起し、いまだに身が縮まる思いなのだ。

またこれは少しのちの話だけれども、SF作家たちがテレビに出るために大阪に来たことがある。出演後、みんなでさる店におもむいて一杯やった。たまたまそこに高名な俳人である赤尾兜子《とうし》氏がいて、星さんが俳句を好きだと聞いたものだから、俳人では誰が良いと思うか、とたずねたのである。

星さんは言下に、放哉《ほうさい》ですなあ、ぼくは尾崎放哉なんかが好きです、といった。ははあ、と、ぼくは感じ入った。俳句が好きだという作家はすくなくないが、それが即座に出て来て、いかにもその人に似合っているという例は珍しい。自分の好みを口にするには、それだけの厚みを持ってからでなければならないのだな、と、考えたりしたものだ。

――といったことからも察していただけるだろうが、星さんは、基本的な礼儀やルールに関しては、とてもきびしい人なのである。手紙の宛名《あてな》などでも、近頃の若い人々がよくやるように、名宛人の下に何もつけなかったり、××行などとしるしてあるものには、その機会がありしだい、手紙の宛名はこう書くものだと相手に注意するのだそうだ。星さんによれば、それは文句をつけるのではなく、先方が知らなかったのだから教えるのが親切というものだというわけである。

星さんのそうした面は、ぼくの感じでは意外に知られていないようなのだ。むしろ、SFを書く位だから、世間の常識を無視するほうだろうと思われているのかも知れないが……とんでもない話で、星さんは世の慣行や常識に通暁《つうぎょう》し、守るべき場合にはきちんと守る人なのである。

こう書いて来ると、いかにも星さんが四角四面で厳格な人間みたいになるが、そうではない。そう一筋縄で行かないのが、星さんの星さんたるゆえんなのだ。

ある年のある会合で、ぼくはだいぶ遅刻をした。その時分、ぼくはSF作家仲間でクマゴローというあだ名をつけられていたのを長い間知らず、やっとひとりから教えられたばかりであった。

会場に入ると、みんなはもうだいぶ酔っている。

ぼくがおずおずと顔を出すと、とたんに星さんがばたりと倒れ、うつ伏せになった。

「星さん、どうした？」

誰かがたずねても、星さんは何もいおうとしない。

ややあって身を起した星さんは、いったのである。

「熊《くま》が来たから、死んだ真似《まね》をしているんだ」

しかしながら、その程度は序の口なのだ。

SF作家たちが集まって飲みだすと、該博な知識を駆使して話題をリードするのは、まずたいてい小松さん――小松左京氏である。うかうかしていると会話から置いてけぼりを食うものだから、みんな必死になって対応しようとするのに、星さんは寝ていることが多い。ああ星さん眠っているな、と思っていると、突如として起きあがり、痛烈かつおそるべき言辞を吐いて、一座がしんとなるのである。そこでうっかり星さんを調子づかせようものなら、大砲の連発よろしく発言がつづき、全員、毒気を抜かれてしまうか笑いころげるかなのだ。

ある晩、例によってその場にいないSF作家の棚おろしがはじまった。(集まるべきときにその場にいない人間は怠慢で義務不履行なのだから何をいわれても仕方がない、というのが不文律なのだ)その中でももっとも猛烈なのが星さんであった。それも、ふつうの連想力では到底出て来ない、すさまじいブラックユーモアの連続で、ぼくなどはゲラゲラ笑いながら、しだいに背筋が寒くなって来たほどである。一段落つくと、ひとりが、これは当人に密告だ、密告しようとはやしたて、ぼくも叫んだ。

「それは駄目だよ、眉村さん」

と、星さんは平気な顔であった。「あんた、ぼくがいっている間、反対しなかっただろう？　同調していたんだから、同罪だよ」

「…………」

理屈には合っているみたいだが、どうも変だ。

それからまた……。

いや、よそう。

こうした星さんの言行は、あまりにも多く紹介されている。星さんが何かのひょうしで口にする名言というか名文句というか、えたいが知れないのに何となく分る言葉（いのちみじかしたすきに長し、などはその代表的なものだ）はふんだんにあって、ファンを通じて広まっているし、星さんが描くところの、ヒヨコともアヒルともつかない、星ヅルもすでに有名である。どう見てもツルとは思えないが、星さんがこれはツルなのだといって描きつづけているうちに、星ヅルになってしまったのだ。一度、ぼくが貰った年賀状には、その星ヅルの下に松葉が二つ三つ添えられてあり、コメントがついていた。——松の上に鶴《つる》がとまっているおめでたい構図です。

そして、こうした話のほうが面白いものだから、こちらの面がいつか強調され、伝え聞いた人たちが、星新一さんって愉快な方なんですねえということにもなるのであろう。

いうならば、変幻自在なのである。

ぼくが星さんに啓発されたというのは、はじめに述べた、そのおりおりの言葉によってもさることながら、実は一番大きいのが、この変幻自在の使い分けなのである。はじめのうち、ぼくは、この使い分けには何か基準があるのだろうかと考えたりした。

いわゆる星語録の中に、こういうのがある。

ＳＦ作家は常識外のことばかり書いているから常識を知らないという人がいるが、それは間違いだ。つねに常識外のことを書くためには、常識とはどういうもので、どれだけが常識の範囲内にあるのかを知っていなければならない。だからＳＦ作家は大常識人なのである。

これまた星さん一流のたくみな逆説であるが……しかもここには一面の真理があるのも事実なので、ぼくは、このあたりに星さんの秘密をとく鍵《かぎ》があるのではなかろうかと思ってもみた。

が。

時がたつにつれ、星さんと顔を会わせる回数が増すにつれて、ぼくはそんなことをつかもうとするのは到底不可能なのを悟りはじめた。ぼくなどにはいくらそんな試みをしたって、何も分りはしないのだ。星さんはそれほど大きいのである。

あるいは、と、ぼくは思う。あるいは星さんは自分でも格別意識せずに、常識と非常識の世界を往来しているのではないだろうか？　そうだとすれば、いよいよ星さんが大きいことになる。

要するに、はじめからぼくなどには分析不能の対象だったのだ。

そう割り切ってしまってから、ぼくの気は楽になった。楽になると、天馬空を行くような星さんと会っているだけで、何か生きているという感じがするようになったのだから、妙なものである。不思議なことに、その時分からぼく自身、自分のものだけを書けばいいのだとおのれにいい聞かせ、好きなように仕事をすることが出来るようになった。これはぼくが星さんに感謝しなければならない最大の事柄であろう。こういう対象が身近にいなければどうなっていたかと思うと、ぞっとする。

いずれにせよ、いろんな意味で星さんはぼくの恩人なのだ。こうして書きつらねて来ると、ますますその感が深い。
ぼくは幸運だったのである。

（昭和五十三年四月、作家）

この作品は昭和四十六年十一月新潮社より書下ろし刊行された。

おのぞみの結末
星新一著

超現代にあっても、退屈な日々にあきたりず、次々と新しい冒険を求める人間……。その滑稽で愛すべき姿をスマートに描き出す11編。

マイ国家
星新一著

マイホームを〝マイ国家〟として独立宣言。狂気か？　犯罪か？　一見平和な現代社会にひそむ恐怖を、超現実的な視線でとらえた31編。

妖精配給会社
星新一著

ほかの星から流れ着いた〈妖精〉は従順で謙虚、ペットとしてたちまち普及した。しかし、今や……サスペンスあふれる表題作など35編。

宇宙のあいさつ
星新一著

植民地獲得に地球からやって来た宇宙船が占領した惑星は気候温暖、食糧豊富、保養地として申し分なかったが……。表題作等35編。

午後の恐竜
星新一著

現代社会に突然巨大な恐竜の群れが出現した。蜃気楼か？　集団幻覚か？　それとも立体テレビの放映か？——表題作など11編を収録。

白い服の男
星新一著

横領、強盗、殺人、こんな犯罪は一般の警察に任せておけ。わが特殊警察の任務はただ、世界の平和を守ること。しかしそのためには？

星新一著

妄想銀行

人間の妄想を取り扱うエフ博士の妄想銀行は大繁盛！　しかし博士は、彼を思う女からとった妄想を、自分の愛する女性にと……32編。

星新一著

人民は弱し　官吏は強し

明治末、合理精神を学んでアメリカから帰った星一（はじめ）は製薬会社を興した――官僚組織と闘い敗れた父の姿を愛情こめて描く。

星新一著

おせっかいな神々

神さまはおせっかい！　金もうけの夢を叶えてくれた〝笑い顔の神〟の正体は？　スマートなユーモアあふれるショート・ショート集。

星新一著

ひとにぎりの未来

脳波を調べ、食べたい料理を作る自動調理機、眠っている間に会社に着く人間用コンテナなど、未来社会をのぞくショート・ショート集。

星新一著

だれかさんの悪夢

ああもしたい、こうもしたい。はてしなく広がる人間の夢だが……。欲望多き人間たちをユーモラスに描く傑作ショート・ショート集。

星新一著

未来いそっぷ

時代が変れば、話も変る！　語りつがれてきた寓話も、星新一の手にかかるとこんなお話に……。楽しい笑いで別世界へ案内する33編。

星新一著　おみそれ社会

二号は一見本妻風、模範警官がギャング……。ひと皮むくと、なにがでてくるかわからない複雑な現代社会を鋭く描く表題作など全11編。

星新一著　たくさんのタブー

幽霊にささやかれ自分が自分でなくなってあの世とこの世がつながった。日常生活の背後にひそむ異次元に誘うショートショート20編。

星新一著　なりそこない王子

おとぎ話の主人公総出演の表題作をはじめ、現実と非現実のはざまの世界でくりひろげられる不思議なショートショート12編を収録。

星新一著　どこかの事件

他人に信じてもらえない不思議な事件はいつもどこかで起きている――日常を超えた非現実的現実世界を描いたショートショート21編。

星新一著　安全のカード

青年が買ったのは、なんと絶対的な安全を保障するという不思議なカードだった……。悪夢とロマンの交錯する16のショートショート。

星新一著　ご依頼の件

だれか殺したい人はいませんか？　ご依頼はこの本が引き受けます。心にひそむ願望をユーモアと諷刺で描くショートショート40編。

新潮文庫最新刊

道尾秀介著
龍神の雨
血のつながらない父を憎む蓮。実母を殺したのは自分だと秘かに苦しむ圭介。降りやまぬ雨、ひとつの死が幾重にも波紋を広げてゆく。

今野敏著
疑心
—隠蔽捜査3—
来日するアメリカ大統領へのテロ計画が発覚！　羽田を含む第二方面警備本部を任された大森署署長竜崎伸也は、難局に立ち向かう。

西村京太郎著
岐阜羽島駅25時
高齢の資産家の連続殺人を追う捜査一課の前に立ちはだかる、謎の医師。十津川警部が禁断の研究に挑む、長編トラベルミステリー。

荻原浩著
オイアウエ漂流記
飛行機事故で無人島に流された10人。共通するは「生きたい！」という気持ちだけ。爆笑と感涙を約束する、サバイバル小説の大傑作！

幸田真音著
舶来屋
エルメス、グッチ……。終戦の闇市から銀座にブランドブームを仕掛けたビジネスマンの一代記。それは「文化」を売る商人だった。

橋本治著
巡礼
男はなぜ、ゴミ屋敷の主になったのか？　ただ黙々と生き、やがて家族も道も失った男の遍歴から、戦後日本を照らす圧倒的長編小説。

新潮文庫最新刊

黒川博行著
螻蛄
―シリーズ疫病神―
最凶「疫病神」コンビが東京進出！　巨大宗派の秘宝に群がる腐敗刑事、新宿極道、怪しい画廊の美女。金満坊主から金を分捕るのは。

春日武彦著
緘黙
―五百頭病院特命ファイル―
十五年間、無言を貫き続ける男――その謎に三人の個性派医師が挑む。ベテラン精神科医が放つ、ネオ医学エンターテインメント！

香月日輪著
下町不思議町物語
小六の転校生、直之の支えは「師匠」と怪しい仲間たち。妖怪物語の名手が描く、少年と家族の再生を助ける不思議な町の物語。

富安陽子著
シノダ！ チビ竜と魔法の実
パパは人間でママはキツネ。そんな信田家にやって来たチビ竜がもたらす騒動とは。不思議とユーモア溢れるシノダ！シリーズ第一弾。

今江祥智編
それはまだヒミツ
―少年少女の物語―
いやなことも、楽しいことも、まとめてひとつ――。苛立ちや葛藤、そして歓びに満ちた若者の心をリアルに描く、傑作アンソロジー。

五味太郎著
ときどきの少年
路傍の石文学賞受賞
少年は見ることだけが仕事です――。世界中で愛される絵本作家が描く、少年時代の謎めくエピソードや懐かしい風景。傑作エッセイ。

ブランコのむこうで

新潮文庫　ほ - 4 - 15

昭和五十三年五月二十五日　発行
平成十五年六月二十五日　三十九刷改版
平成二十四年一月三十日　五十八刷

著者　星《ほし》　新《しん》一《いち》

発行者　佐藤隆信

発行所　株式会社　新潮社

郵便番号　一六二―八七一一
東京都新宿区矢来町七一
電話　編集部(〇三)三二六六―五四四〇
　　　読者係(〇三)三二六六―五一一一
http://www.shinchosha.co.jp

価格はカバーに表示してあります。

乱丁・落丁本は、ご面倒ですが小社読者係宛ご送付ください。送料小社負担にてお取替えいたします。

印刷・株式会社光邦　製本・憲専堂製本株式会社

ISBN978-4-10-109815-9 C0193